JN319691

二 見 文 庫

中国軍を駆逐せよ！ ゴースト・フリート出撃す〈上〉

P・W・シンガー＆オーガスト・コール／伏見威蕃＝訳

GHOST FLEET (vol.1)
by
P.W.Singer and August Cole

本書は現実の世界の傾向とテクノロジーにヒントを得ているが、
あくまで小説であり、未来を予測するものではない。

中国軍を駆逐せよ!
ゴースト・フリート出撃す
〈上〉

登　場　人　物　紹　介

ジェイムズ・"ジェイミー"・シモンズ中佐	沿海域戦闘艦〈コロナド〉副長、のち大佐、ミサイル駆逐艦〈ズムウォルト〉艦長
ホレイショ・コルテス大尉	〈コロナド〉砲雷長、のち少佐、〈ズムウォルト〉副長
ヴァーナライズ・"ヴァーン"・リー博士	中国系の電子工学エキスパート、〈ズムウォルト〉のレイルガン装備を担当
マイク・シモンズ上等兵曹(退役)	シモンズの父、復帰して〈ズムウォルト〉に乗り組む
キャロライン・"コナン"・ドイル海兵隊少佐	米軍の生き残りの反乱勢力、「ノースショア・ムジャヒディン」の指揮官
エヴァンジェリン・マレー中将	ゴースト・フリート司令官、〈アメリカ〉座乗
ウラジーミル・アンドレイェヴィッチ・マルコフ大佐	ハワイ駐在のロシア軍特殊部隊将校、中国軍との連絡担当
玉喜来【ユー・シーライ】将軍	中国軍ハワイ特別統治区司令官
キャリー・シン	ホテル従業員。連続殺人犯「ブラック・ウィドー」
王小虔【ワン・シァオチェン】海軍中将	タスク・フォース司令
臨玻強【リン・ボーチァン】上将	艦隊総司令員
威銘【ウェイ・ミン】上将	地上軍総司令員
サー・エイリック・カヴェンディッシュ	本名アーチス・クマール。バイオ関連の特許で成功、世界で七番目の金持ち
アレクセイ・デニソフ三等海佐	ロシア軍狼航空隊所属、のちに二等海佐。MiG-35Kパイロット

軌道高度約四〇〇キロメートル

「ほんとうにすまない」

ヴィターリーはどういう意味でいったのか？　国際宇宙ステーションのただひとりのアメリカ人宇宙飛行士、リック・ファーマー空軍大佐は、ロシア人乗組員の悪ふざけの的になるのに慣れていた。つい最近も、寝袋を縫いつけて閉じ込められ、通信網全体で反応が見られるように、ワイドキャストで画像をアップされた。

いまにして思えば、それも笑える程度のものだった。だが、いまは船外にいる。細い命綱《テザー》で宇宙ステーションとつながっているだけで、船外に浮かんでいるときには、ルールもおのずとちがう。

不審だったのは、ヴィターリー・シマコフ宇宙飛行士の言葉に、いつもの馬鹿笑いがともなわなかったことだった。

ファーマーは、テザーをもう一度点検した。点検する必要はなかったが、安心したかったからだ。宇宙服の無線機でステーションのヴィターリーやその他の乗組員を呼び出せなくなってから、二十四分たっている。調子が悪い第四ソーラーパネルの修理のために船外に出たあと、ファーマーが聞いた最後の通信は、任務指揮官であるヴィターリーのくだんの言葉だった。ヒューストンの管制センターとの通信も途絶えている。通信の沈黙は、よくある技術的問題だろうと考えることにした。宇宙での毎日は、NASAがマスコミに吹き込んでいる空想的な物語とはちがい、そういうトラブルの連続なのだ。

ファーマーは、カリフォルニア工科大学でシステム工学を専攻し、博士号を修得したあと、T‐38練習機からF‐22ステルス戦闘機に至るまで、さまざまな航空機で飛行時間四千時間以上をこなしてきた。複雑な仕組みのでかいモノが、ときどきちゃんと機能しないことは承知していた。最初のアフガニスタン出征の前夜、双子の息子たちが飛行装備をいじくっていたのが、人生の半分も前のことのように思える。「パパがヘルメットをかぶるのは、ときどき仕事がとってもたいへんになるからだよ」この稼業ではありふれた事柄ですら過酷なのだということは、いわなかった。

ファーマーは、宇宙ステーションに戻ろうとして、ハッチに近づいた。

「ファーマー、確認。ハッチをあけろ」と、開閉システムに命じた。

反応はない。

音声認識ソフトウェアがロック・オンできるように大げさに発音して、ファーマーはくりかえした。

「ファーマー、確認。ハッチをあけろ」

開閉システムには、まったく聞こえていないようだった。

ファーマーは、開閉システムを解除する手動装置に手をのばして、緊急開扉ボタンを保護しているカバーをあけた。押しながら心のなかでつぶやいた。おいおい、緊急事態に向けてまっしぐらに進んでいるぞ。

反応はない。

ファーマーはボタンをさらに強く押し、無重力の環境で真っ赤なボタンを指で押した力により、うしろに飛ばされた。テザーで宇宙ステーションとつながっていなかったら、くるくる回転して、秒速三メートルで木星に向かう弾道を描いていたはずだ。

反応がない。どうなってるんだ？

ヘルメットのバイザーの表側は金の被覆で、いってみれば世界一高価なサングラスだった。内側には、位置から宇宙服内の温度に至るまで、あらゆることが投射されているコンピュータ・ディスプレイがならんでいた。

その隅で明滅している赤ランプが、否応なしに目にはいった。コンピュータに教えられるまでもなく、脈拍がひどく速くなっていた。深呼吸して神経を集中し、眼下の青いひろがりを見おろした。地球を取り巻く晦冥《かいめい》には、目を向けないようにした。それが不気味にひろがってゆくように見える。ヒューストンでＮＡＳＡのヨガ・インストラクターに教わったとおり、三十秒かけて体の芯から呼吸を整えると、ファーマーはハッチの扉を睨みつけ、気合いであけようとした。

　ボタンをまた押した。もう一度。反応はない。

　ファーマーは下に手をのばして、HEXPANDOを取った。先端をのばすことが《エクスパンド》できる六角形《ヘックス》の工具で、手が届かない場所のソケットヘッドねじの付けはずし用に、NASAのエンジニアが設計したものだ。要するにしゃれた格好のレンチだった。

　HEXPANDOには「無理な力を加えないこと」と、取扱説明書に注意書きがある。知ったことか。

　ファーマーは、HEXPANDOでハッチを叩いた。真空の宇宙にいるファーマーには音が聞こえなかったが、ハッチの向こう側の宇宙ステーションには空気があるから、音が反響しているはずだ。

　ザーッという空電雑音が聞こえ、ファーマーの無線機が息を吹き返した。

「ヴィターリー、聞こえるか？　ちょっと心配になってきた。通信がまた調子悪いし、こんどはハッチの音声認識システムが働かない」ファーマーはいった。「ゲンナジーに、シベリアの訓練所に送り返すといってやれ。きのうのあいつの修理作業は、なにもかもぶち壊しただけだ。なかから手動でハッチをあけてくれ」

「できない。もうおれには決められない」ヴィターリーが、沈痛な声でいった。

「なんだって？」ファーマーはいった。視界からはずれかけたところで、脈拍の赤ランプが明滅した。まるで火星が肩のうしろで急に瞬《またた》いているみたいだった。

「おれにはハッチをあける権限がないんだ」ヴィターリーがいった。

「権限？　いったいなんの話だ？　ヒューストンを呼び出せ。これを解決しよう」ファーマーはいった。

「さらばだ、友よ。心の底からすまないと思う。命令なんだ」ヴィターリーがいった。

「おれがおまえに命令する。ハッチをあけろ！」ファーマーはいった。

そのあとの低い空電雑音のうねりが、ファーマーの聞いた最後の音だった。

ハッチを五分間叩いたあと、ファーマーは宇宙ステーションに背を向けて、足の下の地球を見おろした。アジアの陸地が白い帳《とばり》のなかで身をよじっているのが見えた、北京から南の上海に向けて、スモッグの雲がのびている。

残された時間は、どれだけあるのだろう？　赤ランプがさかんにひらめいているのは、呼吸が荒くなっているせいだ。地球の回転速度、宇宙ステーションの速力、残された酸素を頭のなかで計算して、気を静めようとした。アメリカ東海岸が見えるまでもつだろうか？　妻と成長した息子たちは、ケープコッドで休暇を愉しんでいる。最後にもう一度、家族がいるそこを眺めてみたかった。

第一部

夫《そ》れ兵久しくして国に利あるもの、未だ之有らざるなり

——孫子『兵法』

太平洋　マリアナ海溝　深度一万五九〇メートル

ときには、歴史が闇のなかでつくられることがある。

暗黒に視線を走らせた朱進《ヂュー・ジン》は、いまごろ妻はなにをしているだろうかと思った。もちろん姿は見えないが、一万メートル上にいることはわかっている。劉紡《リウ・ファン》は、緊張を払いのけるために、例によってポニーテイルの髪をきつく縛り、キイボードの上にかがみ込んでいるはずだ。まわりの地質学者たちの煙草の煙にいらだって、激しいくしゃみをするのが、目に浮かぶようだった。

〈蛟龍《ジアオロン》3〉深海潜水艇の艇内のスクリーンは、現代科学の粋を集めたもので、任務主任地質学者である朱が外を覗く舷窓の役割を果たしていた。今回、朱のその肩書には重要な意味がある。一行のお目付け役として同行している「董事会《ドンシーハイ》」（本書の設定ではポスト中国共産党政権をこう呼んでいる）の将校、洛維《ロー・ウエイ》海軍少校（少佐）に指揮権があるが、任務の成否の責任は朱が負っている。COMRA（中国大洋鉱産資源研究開発協会）の深海調査船〈向陽紅《シアンヤンホン》18〉の下の海中深くで、自分ひとりが物事をコントロールしていることも、この状況に似つかわしいと、朱は思った。マリアナ海溝のこの狭隘《きょうあい》部を、自分は独り占めにしている。

朱は、淡い輝きを発している制御スリーブ・グラブを何度かそっと傾けて、海中の針路をたどった。海溝の断崖のかなり近くを航行しているので、自動操縦は使えない。頭をはっきりさせるために、息を吐いた。水圧と精神的重圧は、朱の潜水艇と多くのひとびとの夢を一瞬にして押し潰すおそれがあるほど強かった。

朱は、肩をゆすってヘッドセットのぐあいを直した。あそこだ、と同時に思った。目をしばたたいて、身を乗り出した。かすかに輝いているスクリーンと、潜水艇の船体の向こうから押し寄せる闇に顔を近づければ、この一瞬の現実味が増すような気がしたからだ。

この潜航が最後だ。そうでなければならない。

両手をふると、潜水艇が断崖からあとずさりして、停止し、その場で浮遊した。朱は艇外の照明を消した。それから、艇内の赤い照明を消した。訪れた晦冥をじっくりと味わった。ついにこの時が来た。文字どおり数十年の研究と投資の成果だ。朱とその仲間のように、これほどの深海を調査した国は、いまだかつてなかった。だから、海底の九六パーセントは、いまだに天然資源の探鉱や開発が行なわれていない。当然ながら、天津大学が潜水艇を開発したあと、深海潜航の訓練だけでも、四年の歳月を要した。それに比べれば、今回の任務の捜索活動の五日間など、なにほどのこともない。

朱が操縦するこの潜航は、今回の任務では最後のこころみだった。まもなく、米軍が「友好的」に来訪するか、それともオーストラリア軍にそれをやらせるはずだと、調査チームにはわかっていた。調査船はグアムの米軍基地にかなり近い水域にいる。まだだれもようすを見にこないのは、不思議だった。いずれにせよ、それも時間の問題なので、COMRAの調査船と乗組員は、気を揉んでいた。

妻の劉の肩ごしに覗き込んでいる洛維海軍少校がいらだって、煙草をたてつづけにふかし、劉は煙に巻かれてくしゃみをしているにちがいないと思った。乗組員が、モニターを覗き込むとのおなじ真剣な目で、劉の顔を探るように見ているのが、ひしひしと感じられた。口には出さないだろうが、みんなの運命が結果に左右されるのだから、失敗は許されない、と思っているにちがいない。

失敗ではなかった。

あっけなく発見した。朱の右手近くのスクリーンが、青い字で短いメッセージを発してから、地図モードに切り替わった。ガス田がここにあることを示す物証は前から見つかっていたのだが、データが流れ込むにつれて、この場所に自分を導いた直感の理由がわかってきた。朱は潜水艇をそろそろと動かして、調査チームが発見の全貌を描画《マッピング》できるように、使い捨ての無人潜水機をくまなく展開した。潜水機は実質的にミニ魚雷で、潜水艇の音響画像作成センサーは、その爆発音響をもとに、海底の下の豊富な資源についてより詳しい情報を得る。コンピュータは音波を利用して、地殻の何キロメートルも下に埋もれたガス田全体を「見る」ことができる。ミニ魚雷テクノロジーは、米海軍の最新鋭潜水艦捜索システムのテクノロジーを盗用していた。資源描画ソフトは、ボストン大学で博士号を修得していた学生の研究論文がもとになっている。いずれも自分たちが歴史的なことを成し遂げる役目を演じたことを、知る由もない。

三十五分の描画によって、作業はすべて終わった。

暗闇に長居しすぎた、と朱は思った。劉に一度打ち明けたことがあるが、深海と水面を行き来するのは、最悪の経験だった。太陽が輝く水面と不思議に満ちた深海のあいだの空漠《くうばく》に閉じ込められて死ぬのは、ものすごく恐ろしいだろう。だが、今回は愉しめた。朗報を伝えられる期待感に満ちあふれて、その空漠を移動できた。

潜水艇のハッチをあけたとき、左舷の手摺から乗組員全員が覗き込んでいるのが目にはいった。全員が、朱を見つめていた。腕に傷痕があり、左手の人差し指がない司厨員までもが出てきて、水面にぷかぷか浮かんでいる〈蛟龍3〉を、あんぐりと口をあけて眺めていた。

太平洋のまぶしい陽射しに、朱は目を細くして、できるだけ無表情を保とうとした。手摺に集まっているひとびとを見て、劉を探した。ひとだかりの端のほうに洛少校が立ち、渋い顔で朱を睨みつけ、目顔で問いかけていた。朱は劉と目を合わせ、もう自分の発見を伏せておけなくなって、にっこりと笑った。劉が柄にもなく叫び、両手を差しあげて雀躍りした。

他の乗組員が劉のほうを向き、目を丸くして眺めてから、歓声をあげはじめた。ひとだかりの向こうの船尾で垂れていた董事会旗を、和風が翻らせた。イエローの地に赤い星をあしらった旗が、かすかにはためいた。朱にしてみれば、その場にふさわしい完璧な道具立てだった。手摺のほうに向きなおると、洛少校の姿はなかった。早くも船内に戻って、任務の結果を海南島の司令部に報《しら》せているのだろう。

太平洋　マリアナ海溝上空　米海軍P‐8哨戒機

高度八〇〇〇フィートからでも、甲板のひとびとがなにかを祝って騒いでいるのが見てとれた。

「船長がプール・パーティをやるっていいだしたんだろう」ビル・〝恋人《スウィーティ》〟・ダーリン中佐が、機長席からいった。

ダーリンとその搭乗員は、最近エンジンを換装したP‐8ポセイドンの点検飛行を終えて、帰投するところだった。P‐8は戦闘艦索敵を目的に設計されているが、現在の捜索象限には一隻もいないので、搭乗員は退屈していた。董事会の調査船は、太平洋のこの水域にはめずらしい刺激をあたえてくれた。

副操縦士のデイヴ・〝ファング〟・トゥリーホーンが、P‐8のセンサー・ポッドのカメラが捉えた〈向陽紅18〉の甲板のライブ画像を送ってきた。P‐8は、潜水艦狩りのために米海軍がボーイング737を改造した機体なので、軍用機にはめずらしくコクピットの広さに余裕がある。だが、軍の搭乗員は情報をできるだけほしがるものなので、ダーリンはたえずスイッチを切り替えては、コクピットのスクリーンにありったけのセンサーのデータを呼び出し、その願望を満足させようとした。

「そろそろ降下して、もっとじっくり見たら？」トゥリーホーンが持ちかけた。

「やつらにお楽しみをぜんぶ取られちまうのは、不公平だな。パーティなら、おれたちも呼ばれてしかるべきだ」ダーリンはいった。「ズームしてあの潜水艇を撮影してくれ。情報班にたまには働いてもらおう」

「登録では、科学調査用になってる」トゥリーホーンがいった。

Ｐ‐８はなめらかに高度五〇〇フィートに降下し、調査船がずっと右翼側に見えるように、ダーリンは機体を傾けて急旋回した。こんなに大きくて速い航空機が爆音を響かせて頭上を飛ぶと、見ているものはたいがい不安にかられる。〈向陽紅18〉の乗組員は、警戒しているはずだった。

「Ｘ‐Ｙ‐Ｈ《エクスレイ・ヤンキー・ホテル》18、こちら米海軍Ｐ《パパ》‐８、支援を必要としているか」ダーリンは呼びかけた。「大海原のだいぶ深い穴の上でとまっているようだが、シュノーケリングには向かない場所だ」

トゥリーホーンが笑い、通信網でそれを聞いていたＰ‐８の搭乗員たちも笑った。

ダーリンは、Ｐ‐８を高度一〇〇〇フィートに戻した。「このほうがいい。連中も落ち着いて無線を聞けるだろうし」トゥリーホーンがいった。

「でも、注意を惹くのには役立ったぞ」ダーリンはいった。

「だね。スクリーンを見てくれ。連中、潜水艇を引き揚げるやいなや、防水布をかけてる」トゥリーホーンがいった。「ひとり海に落ちた」

無線から声が聞こえた。ダーリンはすぐさま威圧的な口調を聞きとり、おなじ軍人にちがいないと思った。

「米海軍Ｐ‐８、こちらは中国大洋鉱産資源研究開発協会の公式調査船だ。われわれは公海にいて、科学憲章に基づき活動している。受信しているか？」

「受信している、ＸＹＨ18」ダーリンはいった。「合法性を問うつもりはないが、この水域は、マリアナ海溝海洋保護区に指定されたアメリカの排他的経済水域として保護されている。貴船が違法操業していないことを確認するために、沿岸警備隊の艦艇を差し向ける」

「ちがう《ネガティヴ》。本船は科学調査を行なっている。許可は必要ない。この平和的任務に対し、これ以上妨害を行なえば、中国政府により敵対行為と見なされる」声の主がいった。「受信しているか？」

「いやはや、あっという間にかなり険悪になった」トゥリーホーンが、ダーリンにいった。

「前戯は間抜けのやることさ」ダーリンはいった。

「ほんとうに沿岸警備隊《コーステイ》を呼ぶのか？」

「いや、漁船じゃないのははっきりしてるが、だからといって戦争をはじめることはない」

「了解した、XYH18」ダーリンは無線で伝えた。「パパ - 8は位置を離れる。ひとり海に落ちたのを忘れるなよ」

ダーリンは、P - 8を高度三〇〇〇フィートに上昇させ、推力を絞って、大型ジェット機をつかのま無重力状態に陥らせた。それから機首をめぐらし、中国船の船尾に向けてから、エンジン二基の推力をさらに落とし、重量が九〇トン近い哨戒機をほとんど音もなく降下させた。

「お楽しみはこれからだ。低空で追跡して、やつらが油断しているときに、二〇〇〇メートルうしろにREMORA（任務目標対応偵察装置）を二基投下する」

「アイ・サー」砲雷員がいった。「準備よし」

太平洋　マリアナ海溝　〈向陽紅18〉

洛少校が、船長に無線のマイクを返した。

「時間がかかりすぎる」洛はいった。「沿岸警備隊が来る前にここを離れる必要がある。朱博士、チームが必要なデータはすべて収集したんだな?」

「はい、もっと調査してもいいですが、ひとまずは――」

船全体を轟音が揺さぶった。朱は耳を手で覆って、甲板に伏せた。右舷側の一〇〇フィートと離れていない頭上を、P‐8が推力全開で通過し、グレーの機体がひらめいた。

その機動に、洛は舌を巻いた。憎たらしいが、大胆不敵だ。朱は吐きそうになった。P‐8の爆音が遠ざかると、乗組員ひとりが叫んだ。「海になにかある。魚雷がうしろから来る!」

「落ち着け」洛は、腰に両手を当てて立ちはだかった。「あれが魚雷なら、われわれはもうとっくに死んでいる。ただのソノブイだ。たぶん、REMORAという無人水中装置だろう」

「やつら、気づいたのか?」

「いや、水面付近に問題になるようなものはない。われわれにとって肝心なものは、はるか下にある」洛は当惑し、航跡を追ってくる無人装置を見やった。

朱のほうに向き直った。「それから、朱。上層部はおまえの成功を認めている。女房といっしょに祝うんだな。その前に潜水艇をきちんと収納しろ」

洛からはじめて聞く、思いやりのある言葉だった。

カリフォルニア州サスーン湾　国防予備船隊

東湾の上に昇る朝陽が、霧を提灯みたいに輝かせた。

「トーレス、きのうはぜんぜん眠っていないんじゃないか？」マイク・シモンズはきいた。軍の契約要員のマイクは、古ぼけたアルミ製小型モーターボートの前方の水面に、辛抱強く視線を走らせていた。ボートに同乗している十九歳の若者を、その視線が射抜いているように見えた。船外機のスロットルを、大きな手でゆるやかにくるんでいる。掌には胼胝《たこ》ができ、手の甲はフジツボみたいにごつごつしていたが、やさしい握りかただった。片膝に顎を載せるようにして座り、反対の脚は舳先に向けてだらしなくのばしていた。気を抜いているように見えるが、若者をあっという間に海に蹴飛ばすことができる構えだった。

「ああ、でも取り戻した」ガブリエル・トーレス一等水兵がいった。「乗る前にひと眠りして」

マイクは、へこんだ水兵用コーヒー・マグから、ひと口飲んだ。一日十八時間コーヒー・マグを持つのを、何十年もつづけているので、右手の人差し指は曲がったままだ。マイクが体重を移動すると、モーターボートの右舷が沈み、トーレスは舳先のほうの座席にしがみつかなければならなかった。退役上等兵曹のマイクは、体重がトーレスより十数キロ重い。モーターボートの重心の動きだけではなく、ふたりの声からも、その差がわかる。

「カウ・パレス（さまざまなイベントに使われているスポーツ施設）でまた団体ＳＩＭ（疑似体験）のイベントをやってるらしい」トーレスがいった。「ブラジル料理。昔っぽいパーティ。リオのカーニバル。二〇〇〇年代に戻ったみたいに」

「なあおい」マイクはいった。「おれもリオに行ったことはある。カーニバルを見にいったんじゃないが、たしかにすごい。女の尻がわんさと……よくまあ乗組員を帰艦させることができたと、いまだに思うね」

「ふうん」トーレスがいった。うわの空でうなずいて、いちおうの礼儀を示したが、ＶＩＺグラスに注意が向いていた。若いやつらはあれをかけたとたんに、みんなおなじになる、とマイクは思った。だいじなことを見逃しても、もう一度見られるとわかっている。なにをいわれても、あとで再生できる。それでいて、まるきり記憶できない。

　トーレスがかけているサムスン製の金縁の眼鏡《グラス》は、海軍の支給品とはぜんぜんちがう。レンズに裏返しに映っているパロアルト・A's@のロゴが、一瞬ひらめくのが見えた。つまり、トーレスはきのうの対ヤンキース戦の再放送を見ているのだ。試合の下には、ニュースの字幕が流れ、シベリアの国境付近における中露の軍事衝突について、最新情報を伝えていた。

「ひどい負け試合だったが、八回裏でパーソンズのノーヒットノーランは破った」マイクはいった。「アスレチックスには残念無念」

せっかくの観戦をぶち壊されたトーレスが、グラスをはずして、マイクを睨みつけた。マイクはあいかわらず、鋼色の水面に目を配っていた。

いまさらなにをいってもしかたがないと、トーレスは悟った。軍と契約している民間人をどなりつけたら、新聞記事になるのがおちだ。それよりも肝心なのは、相手は退役したとはいえ、こっちを海にほうり出したくてうずうずしている気配があることだった。それも、コーヒーもこぼさずにやるだろう。

「水兵、おまえは勤務中だ。おれはいまは一般市民で、おまえの指揮系統とは無関係だ」マイクはいった。「だがな、おまえは海軍に勤めてる。そのろくでもないグラスばかり見ていて、海軍を軽んじるのはやめろ」

「イエッサー」トーレスがいった。

「上等兵曹《チーフ》といえ」マイクはいった「〝サー〟は士官にいう言葉だ。いまのおれは、身過ぎのために働いてるのさ」

マイクは、古い軍隊のジョークににやりと笑い、鉾を収めたことを示すために、トーレスにウィンクした。これにて終了。こういうひょうきんな魅力で、マイクはここまでやってきたし、その反面、埒はわきまえていた。トーレスが乗っていなかったら、船外機のバタバタという音を響かせて、七ノットでのんびりと湾を渡り、潮のあんばいがよければ、セントフランシス・ヨットクラブに舫う。バーに陣取り、海の昔話をやりとりする。そのうちに、バーにとぐろを巻いていた離婚した女が、バーテンに命じて一杯持ってこさせ、あなた、昔の映画俳優のだれそれに似てる、なんていう話になる。ほら、世界中の子供を養子にしてるあのひとよ。マイクも調子を合わせて、おれも世界中に子供がいるんだが、タネを落としただけだからよく知らないんだよ、などと答え、探り合いがつづく。

昇る朝陽が、周囲で繋留している軍艦の輪郭を浮きあがらせた。カモメの編隊が頭上で呼び交わし、黙って錆びている艦船がよけい生気を失っているように見えた。

「昔は、幽霊艦隊《ゴースト・フリート》に落ちぶれるのは、屑鉄寸前の艦《ふね》ばかりだったよ」一九八〇年代の古い給油艦や、最初の債務危機のあとに退役したイージス巡洋艦のあいだを通りながら、マイクは実況解説をした。「しかし、いまは寿命も来ていないのに持ってこられる艦が多い。まあ、退役することに変わりはないが」

「おれたちがここに来ることになったわけがわからないんだけどね、チーフ。みんな老朽艦で、用なしだ。向こうはおれたちを必要としてない」トーレスがいった。「おれたちも向こうを必要としてない」

「それは思いちがいだ」マイクはいった。「老人ホームにいる娼婦に口紅をつけさせるようなものだと思うかもしれないが、おまえが見ているのは海軍の保険証書なんだよ。いまはこんなに小規模だが、冷戦時代には、万一に備えて、ゴースト・フリートには五百隻ぐらいいたんだ」

「浮遊物、左舷」トーレスがいった。

「どうも」マイクは、水面に浮かんでいる色褪せたブルーのプラスティックの樽をよけるように、モーターボートを操舵した。

「あれがいちばん新しいお客さんの〈ズムウォルト〉だ」投錨している艦船の列のつぎの艦を指差して、マイクは告げた。「進水式で、あの醜い艦首にシャンパンを無駄遣いしたときも、艦隊にふさわしいとはいえなかったが、ここでも場ちがいだ。戦歴もなければ、信頼性もない。防波堤にでもすればよかったんだろうが、船体がまやかしの複合材だから、魚が死んじまう」

「あの艦首はどうなってるんだ？」トーレスがいった。「あさっての方向を向いてるぞ」

「技術用語《テクニカル・ターム》では、逆内彎曲面《リヴァース・タンブルホーム》という」マイクはいった。「船体のチャイン（舷側と船底が交わる線）が、カッターの刃みたいに艦中央に向けて斜めに切れ込んでいるのが見えるだろう？　現在から二歩遅れているのに未来をつかもうとすると、あんなふうになっちまう。最初は、ＤＤ（Ｘ）と呼ばれていた。が、Ｘと呼んだからって、特別なものにはならない。海軍は、電気の大砲だかなんだかを積んで、二十一世紀のステルス戦艦の新艦隊を編成するつもりだった。三十二隻を建造する予定で。だが、建造に巨額の金がかかるとわかり、積むつもりだった光線銃《レイガン》もぜんぜんうまくいかなかったんで、海軍は三隻しか買わなかった。そのあと、ダーラン危機で予算が削減されると、お偉方は待ってましたとばかりに、あのＺをここのゴースト・フリートに送り込んだわけだ」

「あとの二隻はどうなったんだ？」トーレスがきいた。

「ここに来た艦よりもひどい運命に遭った」最近の予算危機で建造中に装備を取り払われて工科大学の実習所になった一隻と、試験用に使われているもう一隻のことを、マイクは思いめぐらした。

「で、あれに乗ったら、おれたちはなにをしなきゃならないんだ？」トーレスがきいた。

「彼女《ハー》だ」マイクはいった。「あれ《イット》じゃない」

「チーフ、一度いえばわかるよ」トーレスがいった。「彼女だな」

「いいか、トーレス、なんなら船を〝彼〟と呼んでもいい」マイクはいった。「だが、ぜったいにこういう醜女《しこめ》を〝あれ〟と呼んではいけない。規則にどう書いてあろうと」

「で、彼女、彼——なんでもいいや——見かけはＬＣＳ（沿海域戦闘艦）みたいだな」トーレスがいった。公式にはフリゲートを意味するＦＦに区分けされていても、海軍ではだれもがいまだにもとのＬＣＳという名称を使う。「おれはＬＣＳに乗り組みたかった」

「ＬＣＳか、フン。〝役立たずのチビ艦〟でバリ島沖にいて、五〇ノットの風に髪をなぶられ、海賊に爆竹を投げつけるのを夢見ていたか？」マイクはいった。「舫い綱を用意しろ」

「おたくの息子が、ＬＣＳに乗ってるって聞いたけど」トーレスがいった。「気に入ってるのかな？」

「知らん」マイクはいった。「疎遠なんだ」

「ごめん、チーフ」

「なあ、トーレス、おまえ、おれやゴースト・フリートに押しつけられるなんて、よっぽどだれかに睨まれてるんだな」話題を変えようとしているのが明らかだった。

トーレスは、舳先と小さな艀のあいだに緩衝材を入れた。目も向けずに舫い結びをやってのけたので、マイクは笑みを噛み殺した。

「舫いがうまいな」マイクはいった。「教えてやったとおりに、練習したんだな」

「練習なんかいらない」トーレスが、グラスを叩いていった。「一度やってくれりゃ、こいつが永久保存してくれる」

マラッカ海峡　米海軍LCS（沿海域戦闘艦）〈コロナド〉

LCS〈コロナド〉の士官室にある濃紺の革の座席には、映画館なみのセンサー機器が備わり、VIZグラス充電器、ランバーサポート、熱成形されたヒーター・クッションまであって、軍隊生活にはちょっと快適すぎるように思える――しかし、要旨説明《ブリーフィング》が二時間もつづくと、とてもそうは思えなくなる。

ブリーフィング担当は、MQ‐8ファイア・スカウト遠隔操縦ヘリコプター三機を擁する航空科長の女性将校で、一同に静聴の礼をいうと、席に戻った。作戦情報のブリーフィングを行なうために副長が立ちあがると、何カ所かでひそひそ話をしていたのが急に静かになった。

艦における指揮権上の次級者である副長《XO》が、部屋の奥に立つと、だれしも体育教師に見おろされている小学生に戻ったような心地がするものだ。二十一世紀の海軍では、頭脳がもっとも重要であるはずだった。しかし、立派な体格はやはりものをいうし、副長のジェイムズ・〝ジェイミー〟・シモンズ中佐には、それがそなわっている。身長一八三センチで、ワシントン大学のボート部で重量級の正選手だったときのままの体を保ち、テクノクラートが多くなっている将校団ではめずらしくなった強靭な肉体を見せつけていた。

「おはよう。きょうはわたしのやりかたでやらせてもらう」シモンズはいった。「VIZはなしだ」

マルチタスクと進行をVIZグラスに保存すること抜きで、ブリーフィングにずっと耐えなければならないと知り、乗組員はうめいた。

うしろのほうの若い女性大尉が、拳に口を当て、咳払いのふりをして、「石頭」とつぶやいた。

〈コロナド〉艦長のトム・ライリー中佐は、造船会社のロゴが刻まれたセラミック・チタニウム・メッシュの黒いコーヒー・マグを持って、脇のほうに立っていた。その生意気なつぶやきを聞いて、つい口をほころばせた。

ディスプレイに最初の画像が出て、３Ｄリップルでそれを投射した。艶消し黒の電気ウォーターバイクにまたがった刺青だらけの男が、コンテナ船の船橋《ブリッジ》に向けて片手でアサルト・ライフルを発射していた。海軍大学で教えている高齢の提督から、シモンズはこのやりかたを拝借した。膨大なスライドと動画をふんだんに使うのではなく、強調したいことをひとつずつ、一枚の画像で示す。

「さて、目を向けてくれたところで」シモンズは、マラッカ海峡の入口を航行している〈コロナド〉の現在位置の海図に、画像を切り替えた。脈打つ赤い輝点がいくつもそこで待ち受けている。それぞれがこの一年間に海賊の襲撃があった位置を示している。「世界の海運の半分がこの海峡を通るから、この赤い点は世界各国の懸念になっている」

旧インドネシア共和国とマレーシアに挟まれた、全長約六〇〇海里の海峡は、もっとも狭い箇所の幅が二海里しかない。そこが独裁制のマレーシアと、第二次チモール戦争で無政府状態に陥ったインドネシアに挟まれている。世界のほとんどの水域で、海賊ははるか昔に絶滅したが、太平洋のこの水域が犯罪者に支配されていることを、赤い点が示していた。海賊は小型モーターボートと自家製無人機《ドローン》を使い、いっさいがっさいを奪って売る。それがこの水域の群島に割拠する数百の武装勢力の資金源になる。

　中国最大の海運会社のたっての頼みで、中国軍特殊作戦部隊が一夜で三つの島の住民を皆殺しにしてから、海賊は人質をとる手間をかけないようになった。だが、それで襲撃が熄《や》みはしなかった。人間が住む島が、まだ六千も残っている。海賊が、乗っ取った船の乗組員をひとり残らず殺すようになっただけだった。

「今後三日間、これが本艦《コロナド》の重点になる」シモンズはいった。「示威的な標準の哨戒だが、もっと大きな状況がともなっていて、それを説明するよう艦長に命じられた。われわれは、一八〇〇時に董事会《ザ・ディレクトレト》すなわち中国の護衛艦部隊と会合し、ほんものの多国籍艦隊を組む」

　そこでシモンズは画像を入れ替え、太平洋全体の戦略的地勢を示すもっと大きな海図に拡大した。〈コロナド〉の現在位置はその東北端だった。

「ここからがけさのブリーフィングの本題だ。いささか時間がかかるが、うれしいおまけもある。わたしが話をしているあいだに居眠りをしなかったら、ＰＡＣＡ教育受講資格を倍に引きあげる」何人かがにっこりと笑った。ＰＡＣＡ（艦内大学教育プログラム）は、水兵が海軍の奨学金で大卒の資格を得る近道で、若い乗組員に人気がある。

「われわれは多国籍作戦の先駆けとなることをやろうとしている。政府が貿易制裁の脅しをかけてから初の、董事会《ザ・ディレクトレト》海軍部隊との統合任務になる」シモンズはいった。「つまり、海南島の友人たちが本腰を入れていることを物語っている。スクリーンを見てわかるように、中国は、ほんとうは必要ではない補給のために、新型の給油艦を何隻も出している。世界最大の経済を誇っているだけではなく、自分たちの海軍に地球のどこでも作戦行動を行なえる航続距離があることを示そうとしているんだ。

給油艦がなぜ重要であるかを理解するには、ちょっとおさらいをする必要がある。まず三年前のダーランを思い出してくれ。核兵器が――厳密にいえば放射性物質を使った汚い爆弾《ダーティ・ボム》だが――破裂すると、サウジアラビアという積み木のおうちが崩れた。ダーランが放射能汚染し、サウジ家のあとをだれが継ぐかということで争っているあいだ、グローバルな石油産業の中核がほとんど機能せず、世界経済はよろめいていた」

つぎのスライドは、エネルギー価格の高騰を示すグラフだった。「原油価格は攻撃直後の最高値の一バレル二百九十ドルからようやく下げたが、今回の航海が納税者にどれほど高くつくかは、聞きたくないだろうな。こういっておこう。諸君の孫世代につけを払ってもらうことになるから、いまのうちに楽しく日向ぼっこでもしておいたほうがいい」

「ラーメンで払うことになるでしょうね」新米士官のグパル大尉がいった。ラーメンは中国の通貨である人民元《レンミンビー》（RMN）を表わす俗語だった。RMNは、ダーラン後のドル急落を受けて、ドルとユーロにくわえ、世界的な準備金になった。

「とにかく今回は、自前の燃料で航海できる」ライリー艦長がいった。「石器時代に戻るころには、中東の石油に市場を独占されるだろうな」

「まったくだ」シモンズはいった。「それに、シェールオイルの採掘は、ニューヨーク地震後の採掘中止以前のレベルよりも増えるだろう。ダーラン事件のせいで、みんな地下水汚染など気にしていられなくなった」

地球のエネルギー埋蔵量を示す新しい地図が、スクリーンに出た。シモンズは、乗組員のほうに近づいて、話をつづけた。

「艦長が、注目すべき重要な変化をずばりと指摘してくれた。あらたなエネルギー資源を獲得する競争で、地域の緊張がここ、ここ、ここで高まり、世界中の国境で軍事衝突が起きている。南シナ海の油田の開発がはかばかしくなかったため、中国はあらたなプレッシャーにさらされている。エネルギー探しはつづく」シモンズはいった。「中国が給油艦を同行させたことには、自分たちの権益がもはや全世界に及んでいるという含みがある」

スクリーンの地図が、煙をあげている南アフリカの鉱山の画像に変わった。

「これは南アフリカのモザンビークとの国境に近いスパイカー鉱山だ。憶えているだろう？この傾向はぜんぶつながっている。代替エネルギー源をもとめるあらたな動きは、協力よりも紛争の原因になってきた。ソーラー・エネルギーやディープサイクル・バッテリーのようなテクノロジーは、レアアースに依存している。希少《レア》が重要な言葉になっている」シモンズはそういった。

中国人民解放軍の緑色の戦車が公安部の暴動鎮圧車を押しのけ、上海の人民広場で群衆が兵士たちに喝采を送っている象徴的な写真に、画像が切り替わった。

「ここからが肝心な話だから、よく聞いてくれ」シモンズはいった。「董事会《ザ・ディレクトレト》がのしあがった歴史は、よく知っているだろう。ダーラン事件後、世界経済が落ち込むと、旧中国共産党は国の活力を維持できなくなった。そして、都市労働者の暴動を鎮圧するのに軍を出動させたが、それが大きなまちがいだった。一九八九年とおなじように、軍が汚い仕事をやってくれると思ったんだ。もっとプロフェッショナルな新世代の軍とビジネス界のエリートが、問題を自分たちとはちがうように見ていることを、旧共産党は考えに入れていなかった。権力を継承した〝小皇帝〟たちの身内びいきと腐敗は、中国の安定にとって反乱分子よりも大きな脅威だと、この改革派は見なした。旧勢力は放逐され、これまでの政府よりも国民に人気があり、効率的で技術主義の色合いが極端に濃い、董事会《ザ・ディレクトレト》政権が発足した。ビジネス界の実力者と軍が、統治と役割を分担した。資本主義とナショナリズムが協力し、共産主義時代の矛盾は捨て去られた」

中国海軍の新鋭空母のうちの一隻が、桟橋に繋留されている画像が出た。上海のスカイラインが背後に見える。

「要するに、董事会《ザ・ディレクトレト》は中国を一変させた。腐敗にまみれて内戦の瀬戸際にあった政権を打倒し、国の結束を強めて、おなじ方向へ進軍させている。中国のビジネスリーダーと軍は、切っても切れない関係になった。

だが、学校で諸君が教わったように、総合評価においては、外に目を向けることばかりが重要なのではない。自分自身を知り、歴史における自分たちの立場を知ることが重要だ」

二枚の世界地図の画像が表示された。一枚は一九一四年ごろのイギリスの貿易航路と植民地、二枚目は現在の米軍の部隊と基地の配置で、八百ほどの点が世界中にあった。

「アメリカが中国と冷戦を戦っている、あるいは戦っていない、という意見がある。五十年以上前のソ連とアメリカがそうであったように。百年ほど前、大英帝国はいまのアメリカが直面しているのとおなじような問題にぶつかっていた。自国の経済の世界経済における割合が縮小しつつあるとき、どうやれば帝国を警備しつづけられるのか。しかも国民は、昔ながらのその取り組みにもはや乗り気ではない」

港にいる米海軍空母の写真が、何枚も重ねて表示された。最後の写真は、心に残る画像だった。いまだに建造中のＣＶＮ‐80（原子力空母）、新〈エンタープライズ〉。

「それに、もちろんそれが事実であるなら、低いコストで旧来のやりかたをつづけることはできない。もっとも重要な艦船を選び、昔の海軍の――いや、現在の海軍でもおなじだが――本来のありかたに戻って、適切な編制を行なうべきだ。〈フォード〉級空母は、建造に日にちがかかりすぎる。海軍にはＣＶＮが九隻あるが、じっさいに全世界を護るのに使えるのは、四隻だけだ。それに、アフガニスタン、イエメン、さらにケニアに軍を駐留させるコストがあるから、われわれは空母抜きで活動することに慣れなければならない」

「どうせなら空母よりも本艦に乗り組むほうがいいですよ」グパルがいった。「空母はでかいから、ストーンフィッシュ・ミサイル（核弾頭搭載可能なDF-21準中距離弾道ミサイルの対艦型。地上から空母を攻撃する兵器だと見なされている）の的にうってつけですからね」

「口に安全装置をかけておかないと、大尉、この航海の途中でおりることになるかもしれないぞ」ライリーが、チタンの電子葉巻をふりながらいった。

「アイアイ、艦長」グパルが、おとなしく答えた。

　副長のシモンズが憎まれ役、艦長のライリーがなだめ役を演じるのがふつうなのに、逆になったため、乗組員は内心おもしろがっていた。

「大尉、冗談はさておき、おまえはわたしが強調したいことをいってくれた。そのとおりだ。われわれがストーンフィッシュと呼んでいる東風《DF》-21E対艦弾道ミサイルの本来の狙いは、本艦のようなLCSではない」シモンズはいった。「だが、いろいろな傾向、理由、つぎになにが来るかも、考えてもらいたい。まず、ストーンフィッシュは、中国にどういう機会をあたえたか？」

「それはですね、ボクサーがパンチを打つ腕が長くなったようなものです。中国は、われわれのでかい空母が攻撃圏内に達する前に、それを攻撃する能力を持ちました」グパルがいった。

「そうだ。それによって行動の自由を得た。で、きみが中国軍幹部なら、その自由をどう使う？　その理由は？　時機は？　わたしが諸君に考えてもらいたいのは、そういう問題だ。諸君が世界をひとつの角度から見ているとしても、あすもおなじ角度から見られるとはかぎらない。いまは海賊だが、あすはなんになるだろう？」シモンズは問いかけた。

　ライリー艦長が、シモンズに近づいた。笑みを浮かべてはいたが、物腰からして、ブリーフィングに完全に満足しているようではなかった。「ありがとう、副長《XO》。諸君、これらの脅威を分析評価することが重要だ。たしかに危険はあるが、相手をことさら大きな危険だと見なすにはおよばない。それに、ボクシングの試合がはじまったら、偉大な海軍には文字どおり無数の防空手順がある。ストーンフィッシュの脅威だけではなく、ほかの脅威に対しても。いずれにせよ、シベリア国境の現況からして、ＸＯには、われわれよりもロシア艦に、脅威の説明をしてもらったほうがよかったかもしれない。仮に中国と戦争をするものがあるとすれば、それはモスクワだろう」

「イエッサー」シモンズはいった。「質問は？」一同を見まわして、口をすぼめ、いいたいことがあるのをこらえた。

　グパル大尉が手をあげた。「だとすると、われわれは哨戒にどういう心がけであたればいいんですか？　ここの中国艦隊をどう見なせばいいんですか？　友軍、それとも敵？　それともフレネミー（友だちのふりをしている敵）？」

「いまもいったが、中国はわれわれよりもロシアと戦争をする可能性が高い」ライリーが答えた。「それに、よしんばわれわれに手を出そうなどという気を起こしたとしても、やつらにはちゃんとした戦闘経験がない。XOの歴史講義は、一九四〇年以降、中国が大きな戦争を一度もやってないことに触れるべきだった」

「米海軍もおなじだ」シモンズは小声でいった。

沈黙が流れた。乗組員数人が、膝に置いたVIZグラスをいじって、やることがあるというそぶりをした。だが、グパル大尉はまだ世間知らずで、その静寂が注目を浴びる絶好の機会ではないことがわかっていなかった。海軍士官学校ではうまくいくことも、士官室では失策になる場合がある。

「XO、でもロシアと中国についての艦長の読みは、正しいと思ってるんでしょう?」

シモンズは、ライリーをちらりと見てから、グパルに目を向けた。

「中国は、ロシア国内の中国人出稼ぎ労働者の権利が侵害されているし、両国が前政権のときに調印した条約による旧国境は尊重しないと主張している」シモンズはいった。「だから、わたしがロシア政府《モスクワ》だとすれば、艦長とおなじ結論を下すだろう。それに、ロシアはじっさいにその確信に基づいて行動しているように見受けられる。最新の衛星画像によれば、ロシア太平洋艦隊はウラジオストックの基地から出動した。奇襲攻撃を受ける可能性があると考え、それがやりにくいように、中国軍の航空基地から遠ざかるためだろう。適切な動きだ。歴史的にも裏付けがある」

「XOからめずらしくお褒めの言葉をいただいたところで、解散しよう」ライリー艦長がいった。「陽の目を見たいときに、どこへ行けばいいか、これでわかっただろう」

北京　米国大使館

大使はパーティ好きだった。ジミー・リンクス海軍中佐もおなじだったが、理由はまったくちがっていた。

じつはパーティは口実だった。このお別れパーティは、リンクスを見送るためのものだった――リンクスは国防武官部で二年の勤務を終えたところだった――が、どの国の人間だろうと、階級や地位や影響力に関係なく、ここにいる客はすべて情報を集めるために来ている。眼鏡、ジュエリー、時計、あらゆる機器が――たえず記録し、分析している。ぜんぶ吸いあげてから、ふるいにかけろ。アメリカで一般市民がネットで最安値を探して買い物をするのと、たいして変わらない。

リンクスは、フロアまで届く半透明のスペックトラン繊維のドレスを着た二十七、八の美しい中国女性がすっと通り過ぎるのを眺め、首の付け根の皮膚がすこしこわばって見えるのに目を留めた。そこにあるものが埋め込まれているからだ。三文字の機関（CIAやDIAやNSAのこと）に雇用される新人局員に、選択の余地はない。適切なテクノロジーを使えば、人体はじつにすばらしいアンテナになる。さいわいリンクスは政策が変更になる前に海軍士官になったので、いまのところは、それをまぬがれている。海軍が手ぬるいわけではない。感度の高い航空機器《エビオニクス》や艦艇のシステムにマイクロチップが干渉するかどうか、まだだれにもわからないからにすぎない。だが、どこかの時点で、伝統はテクノロジーに敗れるだろう。

だれかがグラスをカチンと鳴らし、会場のざわめきが、小さなつぶやきに静まった。リンクスは自分のウォッカ・マティーニを見て、レモンツイストを眺めた。問題は、それが録音装置であるかどうかではなく、何者の装置であるかということだ。

「ともにグラスを掲げましょう。われわれの共通の利益と目標を認識するこの機会に」中国空軍司令員呉遼《ウー・リアオ》上将がいった。呉は今後も腐敗を粛清する活動を打ち出していくはずだと、リンクスにはわかっていた。三日のうちに処刑されるはずの人間の名前も知っていた。呉の運転手が、煙草を吸うためにサイドウィンドウを細めにあけたおかげだった。情報収集は、それほど進んでいる。

「海軍士官の名誉に乾杯しましょう。どこの国の軍隊だろうと、空軍士官の口からそういう言葉を聞くことは、めったにありませんよ」

そのジョークに、十五カ国の人間が丁重な笑いで応じた。

「旧インドネシア共和国周辺の水域に秩序をもたらすための中米合同演習は、両国がこれからも力強く協力するあかしです」呉はつづけた。「北の隣国について、わたしにはおなじことは申しあげられません」

怒りのこもった呉のまなざしが隅に立つロシア軍士官に向けられると、客の視線がそれて、まばらになっていた笑い声がとぎれた。ロシア軍将校が、どうでもよさそうにうなずき、呉の演説よりも自分のウォッカがぬるくなるほうが気になるとでもいうように、ハイボール・グラスをさりげなく片手から反対の手に移した。

乾杯のあと、リンクスはそのロシア人のほうへ歩いていった。セルゲイ・セチン准将は、恒例のパーティの常連だった。人生のほとんどを軍服を着て過ごしてきた人間らしく、自信に満ちた物腰で、卑猥なジョークでも聞いたように、いつもにやにや笑っている。セチンはもう十年以上、北京にいる。つまり、上官を満足させられるくらい凄腕であるとともに、董事会が権力を握る動きも乗り切ったことになる。旧共産党の指導者たちが暴力的な手段で粛清されただけではなく、外国の情報機関要員が「交通事故」に巻き込まれて死ぬことが、ちょくちょくあった。

「お気の毒でした」リンクスはいった。「呉のやつ、やることが汚い」

「董事会の改革派、ことに呉のような中核は、だれになんと思われようが気にしないという。しかし、そうなると自分たちの計画のことしか考えられないようになる」セチンがいった。

「中国共産党がそうだった。それがどういう末路を迎えたか、わかるだろう」

「こういう励みになる話ができなくなるのは、つまらないでしょうね、セルゲイ」リンクスはいった。「スモッグや寒い冬も、懐かしくなるでしょう」

飲み物のトレイを持ったウェイターがそばを通ったので、セチンは自分とリンクスのグラスを置いて、霜がつくほど冷えたウォッカをふたり分取った。

「いつの日か、こういう嫌なことも終わる」といって、セチンがウォッカをリンクスに渡し、自分のウォッカを一気に飲んで、顎をしゃくり、リンクスにも飲み干すよううながした。

「あなたに乾杯《ザ・ヴァース》」リンクスは、ロシア語でいった。ウェイターがふたり分のウォッカを持って現われた。タイミングがよすぎる。情報収集が専門の諜報員にちがいない。

「きみはたぶん、これからも役割を……」セチンが、グラスをじっと見つめた。「アメリカの最大の輸出品はなんだと思う？」

リンクスの目が鋭くなった。「最大のとは、量ですか？　それとも、もっとも重要なという意味ですか？　ちがう意味にとれることがありますよ。量でいうなら、石油や天然ガスです。重要なのは、民主主義です」

「いや、いや、ちがう」セチンがいった。「着想だよ。夢、《スタートレック》」

セチンが、リンクスとぴたりと目を合わせた。

「卓見ですね」この会話を解析するコンピュータ・アナリストは、どういうふうに解釈するだろうと、リンクスはふと思った。

もう空になっているグラスを見つめて、セチンが真剣な口調でつづけた。「《スタートレック》は、きみの国とわたしの国が両方とも、きみたちの言葉でいうなら、国防戦略が〝危険にさらされている〟と見なしていた時代に、アメリカ国民が見ていたテレビ番組だ」

「わたしは見ませんでしたよ」リンクスはいった。「古いのは。リメイクの映画をおやじに連れられて見ましたが」

「きわめて前向きな未来像があった。乗組員はあらゆる国から惑星連邦に派遣されている。アメリカ人のカーク船長が、彼らの指導者だ。乗組員は、ヨーロッパやアフリカなど、全世界から来ている——きみの国が人種問題で緊張していた時期だったことに注目すべきだな。それから、ここにも関係があるかもしれないが、ヒカル・スールー（日本版では加藤）がいた。アジア全体の代表で、アメリカがベトナムで戦争をしていたことを考えると、このきわめて有能な登場人物は、いずれ平和《ピース》が訪れるという象徴だった」

「温厚《ピースフル》？　ここにはそういう人間はいませんね」リンクスは、呉のほうをグラスで示した。

「それはそうだ。しかし、きみに憶えていてもらいたいのは、そういうことではない。もっとも重要なのは、きみのような米軍士官と、わたしが友人だということなんだ」セチンがいった。「《スタートレック》の宇宙航海士はパーヴェル・アンドレイエヴィッチ・チェコフ、ロシア人なんだよ！　もちろんチェコフは実在の人間ではない。しかし、当時の優秀なロシア人科学者、パーヴェル・アレクセイエヴィッチ・チェレンコフから名前を借りたのだと、多くの人間が信じていた。知っているかね？　一九五八年のノーベル物理学賞受賞者だ。当時のソ連は、いまの中国の呉とおなじように、自分たちの歴史的必然《デスティニー》を確信していた」

　セチンが、呉の取り巻きをグラスで示した。「わたしがいいたいのは、チェコフがいなかったら、カーク船長は宇宙でどれほど活躍できただろうかということなんだ。なんと、チェレンコフは、わたしたちの未来を左右する重要人物だったんだ！」

　リンクスは、ウェイターに目顔で合図した。ウェイターが、またウォッカを載せたトレイを持ってきた。

「だんだん思い出しましたよ」リンクスはいった。「しかし、惑星連合が結成されたのは第三次世界大戦後だったという設定ではなかったですか？」

「そう、そうだった。そのとおり」セチンがいった。「とにかく、おたがいに敵味方だったが、それほどひどくはないということを、心に留めておいてほしい」

「仕事があり」リンクスは、ふたりの空のグラスをトレイに置いて、たっぷり注がれたウォッカをふたり分取り、ひとつをセチンに渡した。「友だちがいる。あなたは友だちです」

「ああ、それを忘れないでほしい。二、三カ月したら、きみは国防総省《ペンタゴン》の温かいオフィスに戻ってる。Dリング、4コリドー（ペンタゴンの地上階は、A～Eの環状廊下［リング］五本と、十本の放射状廊下［コリドー］から成る）……びっくりしなくていい。わたしたちは、そんなことぐらい知っている。海軍情報部の仲間のところへ戻ったら、わたしとチェコフのことを考えると、約束してくれ」

マラッカ海峡　沿海域戦闘艦〈コロナド〉

シモンズは、副長室の小さなデスクに向かい、毎日送られてくる双子のおはよう動画を見た。〈コロナド〉は夜空のもとを航行していたが、六歳のクレアとマーティンは、ワッフルを食べながら学校のことで不平をいっていた。ふたりの声を聞くと、切なくてシモンズは胃が痛くなった。

「きょう一日、ライリーと仲良くやれるといいわね」シモンズの妻がいった。「楽じゃないのはわかってる。でも、あなたを愛してるし、早く帰ってほしい」

シモンズの妻が、毎朝やっているように画面の端のほうからキスを送り、双子がさよならといってから、接続を切った。

シモンズは立ちあがり、通路を歩いて、艦橋張り出し《ブリッジ・ウイング》に出た。トム・ライリー艦長が、そこでほんものの葉巻を吸っていた。ブリッジ・ウィングは正式に決められた喫煙所ではないが、艦長は好きなところで吸える。

「貨物船、中国艦、貨物船、貨物船、中国艦」ライリーが、海峡を通過する構えをとっている船団を指差した。「ああいう取り合わせの船を見たとき、きみはどこに目を向ける?」

「海峡にはいると、動きにくくなるでしょうね」シモンズはいった。「中国艦の乗組員が、じっさいにわれわれの予想どおりに操艦できるようなら、だいじょうぶでしょう」

「わたしが目を向けるのは、それだけではない」ライリーがいった。「われわれと彼らの両方に目を向ける。協力して作業する。ブリーフィングにもあっただろう。連中はわれわれの石油を、喉から手が出るほどほしがっている。つまるところ、おたがいに相手の喉首をつかんでいるのがわかっている」

「どちらかというと、きんたまでしょうね。でも、それは好都合ではないですか?」

「今回の船団とおなじだというのが、わたしの考えだ。向こうはわれわれに依存している、われわれは向こうに依存している。それぞれのありようはちがうかもしれないが、出ている結果はおなじだ。たとえ相手が董事会に代わろうと、たがいに深く結びついている。それに、中国は米国債を、たしか九兆ドル保有している」

「さらに買い増ししていますね」シモンズはいった。

「そうだ。中国はわれわれの敵ではなく、最大の投資家なんだ。あそこの船の一隻一隻が」ライリーが、大きく手をふって示した。「戦争に踏み切らない理由になる。人間は金儲けが大好きだ。ことに董事会はそうだ」

「貿易は貿易、それだけのことです。どうしてわたしが現在のアメリカと百年前のイギリスを比較したのか、艦長にはわかっているはずですよ」シモンズはいった。「で、第一次世界大戦前、イギリスの最大の貿易相手国は、どこでしたか？　ドイツでしょう。あるいは、第二次世界大戦を例にとってもいいですよ。ドイツの最大の貿易相手国だった国々が、まっさきに侵略されているし、アメリカの最大の貿易相手国は、日本でしたよ」

「歴史の講義はそれくらいにしろ、教授。中国を警戒するのは、しばらくロシアに任せておこう。われわれはあと数週間したらハワイにいる。シベリアでどんな喧嘩騒ぎが起きても、対岸の火事というやつだ。日焼けを心配したほうがいい」と、ライリーがいった。

「ハワイでジョンと会うんでしょう？」シモンズは、話題を変えようとした。

「ああ、飛行機で来る」ライリーがいった。

「それはいいですね」シモンズはいった。「ふたりでサーフィンをやるんですね？」

ライリーがいいよどみ、貴重な葉巻を黙ってシモンズに一本差し出して、火をつけてやった。どうやら難しい話になりそうだ、とシモンズは察した。

「いいか、誤解しないできちんと話を聞いてくれ。艦長職を断って、ペンタゴンに勤務したいと希望するのが、どういうことなのか、きみにはわかっているのか？　これは友人としてばかりではなく、きみの艦長としていうんだ。艦隊内昇進《フリートアップ》しなかったら、水上戦部隊全体がきみを死んだとみなす。きみの出世は行き止まりだ」と、ライリーがいった。

シモンズは、葉巻を深々と吸って、煙を吐き出した。

「リンゼイは船にひどく酔うんですが、わたしが海に出ていることにもむかついているんです。子供たちはなんともないんですが、まだいろいろなことがわかる齢ではないですからね。いや、それがいちばん問題なのかもしれない」

ライリーが、葉巻をまた吸いかけたが、やめて、海に投げ捨てた。

「乗組員はだれだって、子供や配偶者や犬や、陸《おか》のいろいろなものがないのを淋しがっているんだ。それがきみにはわからないのか？　この仕事をまっとうにやるには、なにもかもあきらめないといけないんだ。昔からそういうものだった。わたしの良人《おっと》が平気でいられると思うのか？　ジョンだって嫌がっている（ライリーは男性。前出のジョンとパートナーであるらしい）。どんなテクノロジーが発明されても、距離を縮めることはできない」

「わかっています」シモンズはいった。「その釣り合いをうまく保てるだろうし、そうしなければならないと思っていました。自分の父親よりもずっとましにやれると。しかし、子供たちがわたし抜きで成長してゆく動画を見ると、父親がわたしに対してやったような仕打ちをくりかえしたくないということばかり、考えてしまうんです」

ライリーが顔を真っ赤にして怒った。「海軍がきみをわたしの副長にしたのには、理由がある。きみに指導者の資質があるからだ。それに、艦長職を断れば、きみの仕事人生がだいなしになるだけではなく、わたしも巻き添えを食う。わたしは砲弾を発射したのだ。ほかのだれかのためにやることは、二度とないだろう」

艦が左に横揺れし、ライリーがとっさに手摺をつかんだ。

「ジェイミー、最後にもう一度、よく考えなければいけないよ。わたしがどうやってここまでになったのかは知っているだろう。わたしは艦と海軍のことを考えなければならない。サンディエゴに戻るまで、手続きは棚上げにしておく。それまでに、頭の整理をしてくれ。まだ父親の問題があるからといって、仕事人生を投げ捨ててはいけない」

シモンズはうなずいた。「アイ、艦長」

士官室に戻って、コーヒーをいれた。コーヒーの香りと、服についた潮のしぶきが、父親を思い出させた。それで心が決まった。この航海を最後にする。

海南島　楡林《ユイリン》海軍基地

王小虔《ワン・シアオチエン》海軍中将は、目を閉じて最後の静謐な一瞬を味わい、掌の厚い硬貨を親指でなぞった。鷲の翼が感じられ、高いマストの輪郭がわかった。軍隊の風習によって、つぎに会うときに見せられるように、米海軍作戦本部長から渡されたチャレンジ・コイン（激励などのために将兵に渡される円形のメダル）を持っていなければならない。

飛行機の車輪が接地するドンという音を聞いて、王はゆるみのない鋭敏な状態になった。

Y（運輸）‐20四発輸送機は、要人が乗るために改造されてはいたが、それでもアメリカからの長いフライトは、体への負担が大きかった。問題は訪米がどうして早めに切りあげられたのかということで、答がわからないのが王には不安だった。

「提督、おかえりなさい」タラップの下で待っていた副官がいった。

「で？」王中将はうながした。

「会議がありますが、わたしに披見できるものはありません。提督の情況簡介前資料《ブリーフィング》はこれです」メタリックホワイトの封筒を叩いて、副官がいった。「プリントアウトされています」

「では、標的はわたしかね？」王はいった。

「まさかそんな」副官が、信じられないという声を出した。

「信認はありがたいが、きみは最高幹部会の票を持っているわけではないからな。とにかく、この会議が今回の訪米よりも厳しいものになることは、たしかだろう。米海軍の提督どもは、あいかわらず〝戦略的対話〟なるものを望んでいる。つまり、国家としてほんとうになにを望むのか、われわれの国にどう立ち向かうのかを、決断する能力がないことを露呈している。きみは留守番でさいわいだった」

「お宅に送るお土産はございますか？」副官がきいた。かなりのドル安なので、王中将はたいがい夫人と愛人にちょっとしたものを買ってくる。

「いや、買い物の時間がなかった」王はいった。

「かしこまりました。こちらで手配りします」王の生活にかかわっている女性たちに、プレゼントを見つくろうようにという暗黙の命令を、副官は理解していた。

王と副官は、吉利《ジーリー》汽車製の軍用SUVの後部に乗った。SUVはライトを消したまま走った。

「奉《フォン》将軍はどうなった？」王はきいた。

「まず、連行され――」副官が話しはじめた。

「細かいことはどうでもいい。もう殺されたのか？」

副官がうなずいた。

「よし」王はいった。「北スラウェシを支配している暴虐なやつらに小火器一〇〇トンを合意の倍の価格で売って、われわれに気づかれないとでも思ったのか。奉の強欲があばかれたおかげで、われわれはインドネシア不安定化計画への関与を否認しやすくなった……渡された書類を見せてくれ」

山腹に築かれた巨大な洞穴のような格納庫にはいると、SUVは螺旋状の斜路を下っていった。海南島は中国最大の潜水艦・航空基地で、そこを見おろす島全体が、いまでは地面も岩も迷彩ネットですっかり覆われている。

「地下に行くまで開封しないようにと指示されています」副官がいった。

「そうか」王は封筒を破いてあけた。「わたしの定義では、もうここは地下だ。奉将軍が二軒目のマンションをほしがったせいで、わたしが銃殺されるのなら、それをできるだけ早く知る権利がある」

王が書類を読めるように、副官が小さな赤いペンライトを手探りで出した。

「最高幹部会の全員が集まっているのか？　ここに？」王はいった。

副官がうなずいた。「輸送機がつぎつぎと着陸しています」

「それで、ほかには何者が来ているんだ？」王はいった。イリューシンＩＬ‐76を中国で改造した新型輸送機八機と、ロシア製のままのＩＬ‐76が一機、駐機場にとまっているのが、否応なしに目に留まっていた。

「申しわけありませんが、空軍は乗客名簿を見せてくれるほど親切ではありませんでした、提督」副官が、王が海軍将官であることを強調しながら答えた。

副官がちょっとしたいらだちを示したので、王はくすりと笑った。こういった不確かな状況にともなうアドレナリンの分泌で、長いフライトの疲れが消し飛んでいた。

ＳＵＶがとまり、王がおりた。車内に目を戻すと、副官は腰をあげるようすがなかった。

「ここで失礼します、提督。この先は同行しないよう命じられております」

「ものはためしというぞ」王はいった。「きみを同行させる方策を考える。これに付き添う権利はあるだろう……ことに、やつらがわたしを銃殺するつもりなら」

「そうはならないと思います」車から離れてゆく王に向かって、副官はいった。

「ケダモノをだいぶ長いあいだ飼ってきたから、引き綱をはずしてやるしかない」王は答えた。「さもないと、われわれが咬まれる」

待機していた電動カートに向けて、王は大股に歩いていった。近くにとまっていた巨大なディーゼル・エレクトリック軍用輸送車両の列には、目もくれなかった。地下基地の電磁遮蔽と爆風を防ぐ壁が、すべての音を吸収しているのか、自分の足音も響かなかった。

カートの運転手がいった。「提督、平孩《ピン・ハイ》上尉（大尉）であります。ご案内できるのが光栄であります」暗記していた台詞でもいうように、ゆっくりとそういった。

「ありがとう、上尉」王はいった。「しかし、歩いていきたい。これまで十八時間、座りづめだった」

「はあ？」王が台本にないことをいい出したので、平はとまどっていた。「歩くのはかなり厄介ですよ」

「やってみるのも悪くない」王はいった。

王は、ゆるやかな弧を描いて下っている四車線の縁にある夜光塗料の目印をたどりはじめた。十歩進んだところで、電動カートが横にとまった。モーターがかすかにうなっていた。電動カートの運転だけが仕事なので、若い上尉はそれを残してくることは思いも及ばなかったのだろう。王は、期待にうずうずしている上尉をちらりと見た。上尉はそれを、話しかけてもいい合図だと解釈した。

「提督、自分は提督の〝第三列島線〟（現在の第二列島線——伊豆諸島・小笠原諸島・サイパン・グアム・パプアニューギニア——を越えるものを想定しているのだろう）論文を昨年、興味深く拝読しました」平上尉がいった。「じつに大胆ですね。先見の明があり、反論の余地がまったくありませんでした」

王は歩きながら、黙ってくれないかと切に願っていた。だが、どう返事しても、不安になった上尉は話をやめないだろうとわかっていた。

「ありがたい評価だね」王はいった。董事会が一人っ子政策を打ち切ったのには、さまざまな理由があったが、この上尉だけでも理由になると思った。平はべらべらしゃべりつづけた。はじめはどこのなまりなのかわからなかったが、しゃべっているうちにお里が知れてきた。湖北省だ。こういう間抜けを付き添いにしたのには、なにか意味があるのか？　副官を同行させず、こんな馬鹿に董事会の奥の院へ案内させるとは、どういうことだ？

「とめろ」王はいった。「カートに乗る。きみのいうとおりだ。時間の無駄だ」

電動カートが待っていたエレベーターにはいると、そこは真昼のように明るかった。輸送機二機が呑み込まれそうなほど広いエレベーターだった。

「提督、ご案内はここまでです」北の国境沿いの部隊配置について戦略的見解を述べて、とりとめのない長話を終えた上尉がいった。

「ありがとう」王はいった。「きみは考えるに足ることをいろいろ教えてくれた。これはそのご褒美だ」

王が米海軍作戦本部長にもらったチャレンジ・コインを、若い上尉は恭しく受け取った。

ついに言葉を失い、黙り込んだ。

王は、古い格言を思い出した。戦時では愚か者も役に立つ。

海南島　最高幹部会　情況箇介室《ブリーフィング・ルーム》

王は、エレベーターをおりたときに、興奮剤を一錠こっそりと飲んだ。感情にもいくらか影響があるのがわかっているので、ふだんは脳の働きを高める薬を使うのを避けている。だが、フライトで疲れ切っていたし、できるだけ頭を鋭敏にしておく必要があるとわかっていた。

王に付き添った四人組は、肩のいかつい獰猛そうな男たちで、海軍コマンドウ特有の体にぴったり合った排爆服を着ていた。液体抗弾ベストの表面が、サメ肌のように見える。海軍コマンドウがいるのは、海軍の影響力が強いことを示すプラス要因だと受けとめて、王は安心した。

広い情況箇介室の入口に着くと、艦橋《ブリッジ》にいて水平線に脅威はないかと監視するときのように、王は視線を配りはじめた。臨・玻《リン・ボーチアン》強上将が、海軍の高級将校数人といっしょにいるのが目にはいった。艦隊総司令員の臨提督は、民間人と軍人の指導者から成る最高幹部会で、もっとも大きな影響力を持っている。反対側では地上軍総司令員威銘《ウェイ・ミン》上将を囲んで、陸軍将校が群がっていた。陸軍と海軍はめったに交わることがなく、それは会議でも変わらない。だが、王にとって、そのちがいは単純明快だった。威と陸軍は中国国内でこそ威勢を張っているが、遠征軍に参加する場合、王とその仲間の海軍のほうが、政治と力をずっと明確に理解している。

さらに注目すべきことは、軍の司令部であるのに私服の人間が多いことだった。最高幹部会のメンバーが個人的に会うことはめったにない。民間人と軍人はそれぞれの縄張りを護っている。最初の取り決めは、上海暴動の最中にホテルの会議室で急遽取りまとめられたが、それがずっと堅固に維持され、各派閥は安定した成長という共通の目標のもとで、それぞれの経済・安全保障圏をもっとも効率的に運営する独裁権力を握っている。

臨提督が近づいて、士官学校時代から変わっていないおおざっぱな敬礼で王を出迎えた。

「訪米を途中で打ち切らせたのはすまなかったが、見てのとおり、きみがずっと望んでいた全体会議なんだよ」

「ええ、呼び出されたときには、ここに来たら、われらが友人の奉将軍みたいに、二度と姿を現わさなくなるのではないかと思いましたよ」王はいった。処刑された将軍の名前を口にしたのは、探りを入れるためで、ひとことひとことに意味があった。

「奉が道を踏みはずしたのは、嘆かわしいことだった」臨がいった。「南（インドネシアのこと）を動揺させるというきみの目標は達成された。だが、今回、最高幹部会は、きみからもっと大きな企画を聞く必要があるんだ。きみの意見は、海軍内部ではかなりの説得力を持っているが、こんどは民間側にそれを聞いてもらう必要がある」王に背を向けると、臨は副官に手ぶりをして、照明を暗くさせた。それが会議開始の合図だった。最高幹部会のメンバーが、黒大理石の馬蹄形のテーブルで、それぞれの席についた。

紹介は短く、董事会中国の指揮系統を再編するのに王が重要な役割を果たしたことだけが説明された。民間人の信頼を確保するという目的が見え透いていた。旧人民解放軍の共産党機関員を効率的に粛清していまの地位を得たことを、王はじゅうぶん承知していた。しかし、中国随一の思想家で有能な海軍司令員であることも、臨に強調してほしかったと思った。

「ご存じのように、わたしは提督、海軍の将官です」王はプレゼンテーションをはじめた。「しかし、きょうはある陸軍の将軍の言葉をまず引用したいと思います。〝生に居りて死を撃つ〟というのが、その言葉です――つまり、自分は生地にいて死地の敵を攻撃するという意味です。

これは中国の歴史にあって春秋時代と呼ばれるころに、孫子が書いたといわれる、『兵法』（著者は一九七二年に出土した孫臏の『新・孫子』とそれ以前の『孫子』を混用しているが、訳上ではどちらも「孫子」とする）の一節です。わたしが『兵法』の叡智を拝借したのは、それが書かれてから二千五百年近くたったころのことで、かつて中国人民解放軍国防大学と呼ばれていた施設で『兵法』について持論を展開しました」

遠い昔と近い過去をつづけて引き合いに出したのは、聴衆をこれから導いていきたい場面を設定するための、周到な準備だった。

王は右手の人差指で、引き金を引くふりをした。指にはめたスマート・リングが、無線信号を発し、副官があらかじめ送ってあったビジュアル・プレゼンテーションが起動した。王のうしろに、太平洋の3Dホログラム地図が現われた。輝く赤い線が、地図上を動いて、中国の交易路と軍事勢力圏が千年のあいだにどう移り変わったかを示した。線が進んではまた戻った。その辺縁に青い弧が近づき、アメリカの交易路と軍事基地がこの二百年のあいだに拡大したことを表わした。やがて、青い線が地球上にひろがっていった。そして、十年単位で移り変わって、現在に至ると、赤い線が戻ってきて、青い線を越えた。王がこの図形を説明するまでもなく、全員がその意味を察した。

「わたしが孫子の古い叡智を引き合いに出したのは、中国はその歴史にふさわしい偉大さを取り戻したと、だれもが思いたいにもかかわらず、わたしたちは〝死地〟ともいうべき状況に置かれていることを、念頭に置いていただきたかったからです。じっさい、力が強まったのに選択肢がますます狭まっているという、わたしたちの現況にぴたりと合う言葉が、アメリカにあります。〝明白なる使命《マニフエスト・デステイニー》〟――すなわち領土拡大は必然であるとする考えかたです。

この使命によって前進すれば、選択の範囲は狭まります。さよう、アメリカの偉大な戦略家アルフレッド・セイヤー・マハン提督は、アメリカが大国になれば選択の余地はなくなるということを、予見していました。経済につづいて軍事力が列強の地位にまで高まると、マハンは周囲に、好むと好まざるとにかかわらず、〝アメリカは国外に目を向けなければならない。国家生産の成長がそれを要求する〟と告げました。

〝向けなければならない〟し〝要求する〟のです。力強く、また責任感のある言葉です。われわれはいま、自分たちの使命を形づくっている要求を直視しなければなりません。アメリカは拡張政策《デスティニー》によって、まず土地を求め、それから貿易や石油を求めましたが、現代のわたしたちにあらたな要求があるのを理解しようとしない。アメリカはかつて手をのばして自分のものにした外国のエネルギー資源をもはや必要としていないのに、ヨルダン、ベネズエラ、スーダン、湾岸諸国、旧インドネシアでわれわれの権益に干渉し、われわれはそれに耐えなければならない。

最近も東の中国領海で、そういうことがありました。アメリカからはるかに離れ、中国に近いところで、アメリカはさまざまな問題に横槍を入れてきた」

地図が拡大されて南シナ海に移動し、ダーラン爆弾事件の直後にレッドラインでの小競り合いで損傷したフィリピン沿岸警備隊艦を護衛している米海軍艦の画像が現われた。

「ご記憶のように、わたしたちは当時、地域問題に米海軍がくちばしをつっこむことにどう対応するかを検討しました。しかし、いくら議論したところで、孫子が『兵法』で述べている〝死地〟にわれわれが置かれているというのが、現況なのです。国内が移行状態にあるときに、それが起きたため、われわれは黙認せざるをえませんでした」

つぎに表示されたのは、歓声をあげている群衆に向けてリンカーン記念塔で演説しているダライ・ラマの映像だった。つづいて、最後の共産党外交部長（外務大臣）と握手しているアメリカ大統領を写したニュース。この元共産党員は、たくみに身を処して、人権活動家になった。

「しかし、彼らの干渉は水際ではとどまりませんでした。アメリカは、われわれの新戦略と国内事情を理解しておらず、ここに集まっているみなさんが打ち立てたものを脅かしています。ですから、われわれに選択の余地はない。われわれがやっと立ち直ったところなのに、アメリカ議会はほんの気まぐれで、エネルギー禁輸を課すと脅している。酔っぱらった水夫が経済という蛮刀をふりまわしているようなものです」

画像がマリアナ海溝の深海へと潜っていった。岩壁のあいだをまっすぐに沈下し、COMRAの調査船が発見したものの全貌が明らかにされ、輝く赤で表示された。やがて広い範囲の画像に戻り、世界のこれまでにわかっているガス田との比較で、どれほど大規模であるかが示された。

「わたしたちがここで発見したものは、わが国の未来を左右するだけではなく、世界経済の局面を動かし、したがって、最終的にわが国に安全保障と安定をもたらします」王はいった。

「だれも可能性すら考えなかった場所、わたしたちのみが手をのばすことができた場所で、わたしたちが存在を突き止めたものは、未来を考えるあらたな手段をあたえてくれました。わたしたちはその未来に、自分たちの針路を書き込むことができます」

かつての共産党の指導者、習近平《シー・ジンピン》国家主席のホログラムが、王のうしろに現われ、二〇一三年の全人代での演説の音声が、それに重なった。「水がどれほど深くても、わたしたちは渉《わた》らなければならない。ほかに選択の余地はないからである」

だいぶ前に亡くなった主席の画像を見て、不安そうなつぶやきがあちこちから聞こえた。

「〝中国の夢〟と習が呼んだこの演説を、みなさんはたいがいよくご存じでしょう。旧共産党の指導者たちは、数多くの物事であやまちを犯しましたが、これだけは正しかった。アメリカの勃興は、領海の支配を強化することにはじまり、それからグローバルな経済力を拡大した。その後、アメリカは自分たちのシステムを脅かしかねない旧勢力から、そのシステムを護ることも含めて、あらたな責任をいくつも負わざるをえなくなった。さきほどわたしは、アメリカの戦略家マハンに触れました。アメリカに課せられたあらたな要求についてマハンが述べた直後、ご存じのようにスペインとの戦争が起きました。アメリカは自国の領海から数千海里も離れた太平洋の西側に手をひろげ、フィリピンを手に入れると、われわれの港ばかりか河川でも哨戒を行なった。マハンがアメリカ人たちにいったように、われわれもこういった要求を満たすほかに選択肢はないのです」

王は一同を見まわして、理解したようすだけではなく、反対の気配も探した。

部屋の奥にいた民間人のひとりが、その間合いを意見を求める誘いかけだと受けとめた。陳《チェン》実《シー》は、中国最大の消費者向け電子機器メーカー〈ベル・コン〉の会長だった。〈ベル・コン〉は、先ごろの危機の最中に、数十社が吸収合併されてできた会社だ。董事会最高幹部会で陳は、先見の明があるビジネス界の戦略家という定評をさらに押しひろげ、軍の権威と市場中心の効率を組み合わせた董事会のありように、ぴたりと当てはまっている。

「提督が『兵法』からの引用でお話をはじめられたので、わたしもそれに応じて引用します。〝以て戦うべきと、戦うべからざるを知るものは勝つ〟——彼我の兵力の優越を知り、戦うか戦わないかを判断できるものが勝つ、という意味でしたね」陳が言葉を切った。「提督の理論は納得できません。わたしたちには、どんなときでも選択肢があります。わたしたちが、どこでも買え、なんでも買える世界で、提督がおっしゃるような古い力の構想は、意味があるのでしょうか？　提督が説明なさったような着想は、わたしたちが達成したことをすべて危険にさらします」

王はうなずいた。「主張をきちんと説明できなかったとするなら、それはわたしひとりの責任です」地図のほうに向き直り、考えをまとめるために間を置いた。壁ぎわでは海軍コマンドウたちが、控え銃《つつ》の姿勢で、不安をもよおすくらい微動だもせずに立っている。王はそちらに笑みを向けて、話をつづけた。

「最初に董事会を結成したみなさんがたは、混乱状態から秩序を回復させた。わたしたちは行動を選択しました。しかし、つまるところほかに選択肢がなかったから行動したのです」

王はいった。「逆に、これは董事会の目的ではなかったといえるものでしょうか？　数千年の歳月が、わたしたちをここへ導いたのです。わたしたちは国を後退させた共産党指導者たちから、中国を護った。つぎの大きな一歩を踏み出そうというときに、意気地をなくしてはいけません」

若い女の声が、あたりを切り裂くように響いた。「願望と能力は、おなじものではありません、提督」睦猗玲《ムー・イーリン》がいった。睦はまだ三十にもなっていないが、父の富のおかげで中国最大の製造業コンソーシアム〈ウェイボット〉を経営している。「孫子はこうもいいませんでしたか？　〝弱は彊《きょう》より生ず〟――自信過剰は敗北につながるのではありませんか？」

いまいましいＶＩＺグラスめ、と王は思った。自分は『孫子』をそらんじているが、睦もそうだとは思えない。いちばん近くにいる海軍コマンドウが、かすかに体を動かしたのに、王は目を留めた。軍服は海軍特殊部隊のものだが、じっさいは隊員ではないのかもしれない。最高幹部会を警護する第七八八連隊の兵士の可能性もある。最高幹部会の多くが膨大な利益を得ている現状を脅かしているとして、言葉の端々をあげつらい、吊るしあげるつもりではないか？

「そういう懸念はつねにあります。しかし、孫子はこうもいっていますよ。〝尽《ことごと》く兵を用うるの害を知らざるものは、則《すなわ》ち尽く兵を用うるの利を知る能《あた》わざるなり〟――武力行使による損失を熟知していないものには、武力行使による利益をすべて知ることはできないのです」

睦がほほえんだが、こちらに目を向けずにVIZグラスを探り見ているのを、王は見てとった。反駁する材料を探しているのだろう。引用合戦の段階を超えて、議論をもっと先に進めなければならないと、王は気づいた。全員に向かって、話しかけた。

「もちろん、われわれに勝機は訪れないと考える理由は、みんなじゅうぶんに認識しています。人口減少が足をひっぱる、中国の貿易航路が攻撃にさらされやすい、エネルギーの海外依存の度合いが大きすぎるなどという意見があります。こういった意見は、すべて事実です。明白なる使命を果たすというわれわれの責務に背を向ければ、それは今後も変わらないでしょう。われわれが自分たちの潜在能力を危ぶむことこそが、最悪の事態なのです」

王のスマート・リングが最後にもう一度、カチリと鳴って、一同の周囲にあの有名な光景が現われた。人民広場で戦車が共産党側の暴動鎮圧車両を押し潰し、抗議行動を行なっていたひとびとが、まずびっくり仰天し、やがて軍が自分たちの味方についたと知って、歓喜の叫びをあげる。何人かが、中国を自分たちの理想像に作り変えた瞬間を思い出し、思わず得たりとばかりにうなずくのが、王の目にはいった。

「みなさんの貴重な時間をずいぶんむだにしてしまいましたので、三つの疑問を示して、わたしのプレゼンテーションを終えたいと存じます。ひとつ、わたしたちは、国の指導者たちに対する人民の真の願いに応えるために行動しましたが、そのときとおなじように、わたしたちは自問しなければなりません。いま、人民はなにを望んでいるのか？　ふたつ、わたしたちがエネルギー資源を発見したことを知ったら、アメリカはどういう手を打つと、みなさんは予想するのでしょうか？　三つ目がもっとも重要です。これは歴史の流れについての単純な質問です。いまがその時機でないとしたら、いったいいつがその時機なのか？

三つの質問の答を、みなさんはご存じのはずです。つまり、みなさんには、ほんとうに強力なみなさんには、じっさい、選択の余地はないのです」

臨提督が王の横にやってきて、肩に手を置いた。コマンドウに囲まれていることに、王は気づいた。いい過ぎだったのかもしれない。

「提督、最高幹部会はきみの意見具申に感謝している」臨がいった。「上まで送らせよう」

コマンドウに挟まれて廊下を進みながら、王は自分のプレゼンテーションを頭のなかで反復した。手落ちはいくつかあったが、満足していた。

エレベーターの前で、コマンドウたちは無言で佇んだ。これからどこへ連れていかれるのだろうと、王は不審に思った。そのうちに、エレベーターの番号表示が自分たちの階に近づくにつれて、コマンドウたちが緊張をつのらせているのがわかった。エレベーターのドアがあき、べつの武装集団が出てきた。こんどの護衛隊は白人で、私服だったが。明らかに軍人だった。海軍コマンドウたちとその集団が、警戒するように睨み合った。まんなかの年配の男が、旧式のタブレット・コンピュータを持ってキイボードを叩き、そこから目をあげようともしないことに、王は気づいた。ふつうの眼鏡に赤いダイヤモンドと紫のハートが映っていた。齢の割りには驚くほど引き締まった体つきだったが、このロシア人老スパイは、どうやら記憶力を強化するゲームに中毒しているようだった。董事会情報部に痴呆症だと疑われているのを、払いのけるためだろうか。体は丈夫でも、頭脳はそうではないのだ。

そこで王は気づいた。あれは戦略会議ではなく、審査だったのだ。最高幹部会は、すでに決断を下しているのだ。

第二部

其の無備を攻め、其の不意に出づ

——孫子『兵法』

ワシントンDC　アナコスタ・ボーリング統合基地

アルマンド・チャベスは、最初に切り込むときに息を吐いた。遠い昔、師匠のヒメネス博士に教わったとおり、正確にやるコツは、ゆっくりと、それでいてぐらつかないように、むらのない動きで刃を進めることだった。切り取ると、アルマンドは下に手をのばし、枯れたバラの枝を拾って、肩から吊っていた色褪せたカンバスの袋に入れた。

ベネズエラ中央大学の修士号を持っている男にとって庭師は役不足だが、七年前に混乱のさなかの祖国から難民としてやってきたときには、それしか仕事が見つからなかった。憤懣《ふんまん》をつのらせるか、それとも人生に満足できるように、ささやかながら完璧な仕事をするように集中するしかなかった。

表札の下の花壇を剪定すると、アルマンドは黒い大理石に刻まれた文字をちらりと見た。国防情報局。ＤＩＡと略されるその機関がなにをやっているのか、アルマンドにはよくわからなかった。上司のハディドは、ＣＩＡに似ているが米軍の組織だといった。どうでもよかった。庭師たちのここでの作業は、ほぼ終わっていた。休憩したら基地の裏手の介護施設の生け垣を刈り込むと、ハディドがいった。

秘密保全のために、庭師はビル内にはいることを許されていなかった。休憩になると、みんなは日陰に集まったが、アルマンドはエントランスの脇の小さな池のそばに行って腰かけた。

メッセージがはいっていないかと、ポケットに入れてあったタブレットをひらいた。カラカスの従兄が送ってきた3Dパケットが、画面に映し出された。また孫娘の写真。愛くるしい目をしている。

アルマンドの笑みは、駐車場から急いでやってきて、池のそばの芝生を横切ったアリソン・スウィッグの目には留まらなかった。タイソン・コーナーで情報交換のためのランチを終えたあと、画像アナリストのアリソンは、I‐295の渋滞にひっかかった。そのため、スタッフ会議に遅刻しそうだった。

ふたりはたがいに目を向けなかったが、アリソンがアルマンドのそばを通ったとき、アルマンドのタブレットがアリソンのセキュリティ・バッジに埋め込まれたRFID（無線ICタグ）を認識した。指向性ワイヤレス・ネットワークが、〇・〇三秒だけ起動した。その瞬間に、カラカスから送られてきた動画パケットに隠されていたマルウェア（悪意のあるソフトウェア）が跳びついた。

妻が昨夜に用意したアイス・ティーをアルマンドが飲み終えたとき、アリソンは、黒いナイロンの抗弾スーツを着た警衛がひとり詰めている警備窓口に近づいていた。小型のHK‐

G48アサルト・ライフルが、胸を護るつややかなグレーのセラミック・ベストに吊ってある。制服に付いている徽章は、DIA本部を警備する警備中隊に所属していることを示す、鷲のシルエットのワッペンだけだった。銀色の回転木戸《ターンスタイル》がずらりとならんでいる上に、〝個人の電子機器持ち込み禁止〟という表示があった。

「ハイ、スティーヴ」アリソンはいった。「赤ちゃんはどう?」

「順調ですよ」警衛が笑みを浮かべて答えた。「夜もぐっすり眠ってます」

アリソンは、iTabブレスレットを金属製のロッカーに入れて、キイを抜いた。だが、バッジはそのままで、ゲートに向けて歩くとき、バッジが自動的に無線でアリソンの保全許可《セキユリテイ・クリアランス》を発信した。そして、ネットワークが接続されると同時に、マルウェア・パケットがまた跳んだ。エントランスの壁に刻まれた〝国家防衛で卓越することに献身する〟という文を読むひまもない、一瞬の出来事だった。

インターネットにじかに接続していないネットワークにマルウェアを乗せるのに、無線信号を使うという手口は、じつはDIAの姉妹組織であるNSA(国家安全保障局)が最初に開発した。だが、仮想兵器《バーチャル・ウエポン》がすべてそうであるように、オープンなサイバーワールドにひろまると、敵も含めてだれでもそこからヒントが得られるようになる。

ターンスタイルのゲートがあがると、アリソンは廊下を駆けだした。この諜報機関のエントランスをはいったところには、ダンキン・ドーナツがあり、いつもならそこに寄るのだが、遅刻しているのでそんなひまはなかった。ロビーに旧ソ連のSS‐20弾道ミサイルが、冷戦のトーテムポールよろしく立っている前を通ったときには、マルウェア・パケットは、ゲートからべつの警衛のVIZグラスに飛んでいた。警衛が巡回すると、マルウェア・パケットは、パキスタンの空中監視作戦を支援しているネットワーク・サーバーが格納されている区画を冷却している環境制御装置に飛び込んだ。そこから無人機研究開発チームのシステムに移動した。マルウェアは、そうやって一ビットずつ、DIAのSIPRNET（秘匿インターネット・プロトコル・ルーター・ネットワーク）を通じてつながっている、さまざまなサブネットワークにはいり込んでいった。

当初、その侵入は、異状の有無をつねに監視している自動化されたコンピュータ・ネットワーク防衛の警報を、ひとつも呼び醒まさなかった。パケットが各段階でやったのは、非実行の無害な不活性ファイルだと防衛システムに見なされているファイルと結びつくことだった。マルウェアがそれをあらたなものに書き換えるまで、ファイルは不活性のままになる。DIAのシステムはいずれも、ハッカーの侵入を防ぐために、インターネットと切り離され、それぞれ孤立している。ただ、そういう高い塀には、なにも知らない庭師を利用して、その下にトンネルを掘れるという問題点があった。

ティーンエイジの痩せた女の子が、ワークステーションの奥に立ち、金属製のスマート・リングがいくつも指でかすかに光っていた。ひとつずつ、指の付け根にはめてある。顔には表情がなく、目は艶消しのバイザーに隠れていた。階段教室を改造したところに、おなじようなワークステーションがならんでいる。ワークステーションごとに若い理工学部の学生がいた。第三軍サイバー民兵の下級部隊——〝交通《ジアオトン》〟と呼ばれる第二三四情報旅団の隊員たちだ。

階段教室の底では、中国軍将校ふたりが、隊員たちの作業を監視していた。四方を見渡せるそこから見ると、学生たちの手が淡いグリーンのネオンのような軌跡を描いて、まるであたりが数千匹のホタルに照らされているみたいだった。

上海交通大学

上海交通大学の前身は、清の光緒帝《こうしょてい》の廷臣だった盛宣懐《せいせんかい》の建議により、一八九六年に設立された南洋公学だった。清が貧窮するのを防ぐために西洋の技術を利用して国力増強を目指した、洋務運動の柱のひとつだった。そのご数十年かけて、東のＭＩＴ（マサチューセッツ工科大学）といわれる、中国でもっとも名望の高い工科大学になった。

痩せっぽちの女の子の胡梵《フー・ファン》は、その呼びかたが大嫌いだった。まるで交通大学がMITよりも劣る亜流みたいに思えてしまう。時代が変わったことを、きょう自分たちの世代が見せつける。

初の大学サイバー民兵が編成されたのは、二〇〇一年の海南島事件後だった。中国軍戦闘機パイロットが、米海軍の電子偵察機に近づきすぎて空中衝突した。戦闘機のほうがずっと小さかったので、墜落し、血気にはやったパイロットは死に、米海軍機は海南島の中国軍航空基地に緊急着陸せざるをえなかった。衝突を起こした原因は相手にあると、米中は激しく非難し合った。中国共産党は、コンピュータに精通した民間人を促して、中国国民すべてが不愉快に思っていることを示すために、アメリカのウェブサイトを荒らした。中国のティーンエイジャーがネットで組織され、何万人もがサイバー破壊運動によろこび勇んで参加し、ホワイトハウスからミネソタの公共図書館に至るまで、あらゆるホームページを攻撃目標にした。海南島危機後、ハッカー民兵は諜報活動に欠かせない中核になり、ジェット戦闘機の設計からソフトドリンク会社の交渉戦略に至るまで、オンラインの秘密を盗みつづけた。

それはすべて、胡梵が生まれる前に起きたことだった。胡は子供のころ、スモッグのせいで病気になった。ひどい咳のために、表でよその子供と遊ぶことができなかった。だが、胡のその禍《わざわい》は、福に転じた。北京でコンピュータ・サイエンスの教授だった父親が、三つのときに胡にコードを書かせるようになった。狭いアパートメントで退屈しないようにと思ったのだ。十一歳になると、胡はソフトウェア作成コンテストで優勝し、第二三四情報旅団に勧誘された。

　民兵部門は正式には、中国軍全体の要求に応じなければならない立場にあるが、どのみち胡は志願していたはずだった。どうしても最新のテクノロジーを使って遊びたかったし、士官たちに命じられる任務はたいがい楽しかった。ある日は反体制派のスマートフォンにハッキングで侵入し、べつの日は韓国の自動車デザイナーのＩＴセキュリティと戦わなければならない。だが、アメリカ人がいちばんいじり甲斐があった――なにしろ自分たちの防御にやけに自信を持っている。アメリカ人をＰＷＮ《プウン》すれば――アメリカで生まれた、ゲームで敵を支配するという意味の造語――第二三四の士官たちに注目される。胡はいい働きをしているので、いま父親と暮らしているアパートメントは、父親のどの同僚の家よりも広い。

　だが、胡にとってたいせつなのは、そういうご褒美ではなかった。かつて自分の毎日を物理的に制約していたことから、逃れられるのがうれしかった。ネットに接続していると、文字どおり空を飛んでいるような心地だった。そもそも胡の機器は、中国のＪ（殲撃）‐20戦闘機のフライ・バイ・ワイヤ操縦系統とおなじ原理で作動している。胡が使用する強力なコンピュータが、グローバルな通信網を三次元の世界に表示し、そこが胡の戦場だった。胡は、インターネットをほんとうに〝見た〟と自慢できる少数の人間のひとりになった。

　胡は、米国防総省《ペンタゴン》の民間人職員の携帯電話をハッキングするという手柄を立てたことがある。職員が電子機器を内部に持ち込むことは禁止されているが、数人は毎日のようにやっている。携帯電話のカメラやその他のセンサーを勝手に使って、持ち主の置かれている物理的・電子的環境を構築するというのが、胡のテクニックだった。画像、音声、電磁信号のモザイクによって、中国軍はペンタゴンの建物内部とネットワークの3D画像をほぼ完璧に再現できた。

体内ポンプが作動したので、胡はうれしくなった。最新の医療技術が利用できるのも、この部隊の便宜だった。へその下で皮膚に埋め込まれた小さなポンプが、軽い中枢神経刺激剤のメチルフェニエートその他の興奮剤を、循環系に送りだした。

この薬剤はもともと注意欠陥障害の子供向けに開発されたもので、神経を集中させるとともに多幸症を引き起こす。アメリカの子供は十年以上前から、テストや宿題に取り組むために〝予習〟薬の錠剤を飲んでいる。胡にいわせれば、滑稽だった。子供が平凡な学業をこなすのにそんな力を借りなければならないというのは、アメリカ人の弱さのあかしだった。胡の場合は、ほんとうに重要なことをやるために薬を使っているのだ。

これまでやったことがないような大規模作戦の準備をするようにと、一週間前に命じられたとき、胡はポンプの作動システムにハッキングした。危険はあるが、やった甲斐はあった。投与量を倍にした。もはや安定した状態の意識ではない。高層ビルから落ちて、地面にぶつかる直前に空を飛べるとわかった心地だった。

白鳥さながらにふんわりと腕を曲げて楕円を描きながら、胡は指揮者みたいに両手をふり動かした。指のすべての関節の動きが、スマート・リング内のジャイロスコープを通じて、コマンドを伝えた。一本の指は見えないキイボードにコードを打ち込み、べつの指はマウスの役目を果たし、クリックでネットワーク接続をひらいた。ポインター、クリック、タイピングの多種多様な動作が、一度に行なわれた。下の士官たちには、くすぐりっこにも似た複雑なバレエのように見えた。

胡は、ハッカー攻撃に注意を集中し、手袋をはめた手で鼻の汗を拭いたいのをこらえながら、マルウェア・パケットを操り、DIAのネットワークを通っていった。国防総省の自立したネットワーク防護システムが、ネットワークの流れのかすかな異状を察知し、胡の攻撃を見つけ出して封じ込めようとした。だが、ここでは胡と機械《マシーン》の完全な結合が、〝ビッグ・データ〟に打ち勝った。胡はつねに二歩先んじていた。システムの部品を組み合わせ、データが大きなまとまりとなって、DIAのコンピュータに脅威と見なされる前に、すぐに分解した。左腕が曲げられてはぴんとのび、指が差し出された。やがて右腕でもおなじことをやった。こんどは故意に誤った指示を出し、防御コードが外部からのアクセスを遮断するようにした。要するに、プログラムを騙して、すでに侵入された家のドアをロックすることに専念させた。ただ、侵入を防いだと思い込ませるために、見つけられるような小さな証拠を外に残した。

アクセスすると、胡は任務の主目標の達成に取りかかった。両手を高く突きあげ、指をさっとふった。アメリカのＧＰＳ（汎地球測位システム）衛星群からの信号を無作為に変えるコードを挿入した。ＧＰＳ信号の一部に、二メートルの誤差が生じるようになる。そのほかは二〇〇メートルずれるはずだった。

もちろん、ＧＰＳシステムそのものを遮断するほうが簡単だ。しかし、鉄槌をふりおろすのはあとでいい。きょうは疑惑の種を蒔き、混乱をひろげるだけにしておく。

軌道高度三三二キロメートル

これほど焦っていなかったら、おもしろがっていたはずだ。

一本のボルトが規格よりも一ミリ足らず太いせいで、数十億ドルの動く機械がかかわっている作戦そのものが頓挫しかねない。

「まだ終わらないのか？」歓胄《ホアン・ヂョウ》中校（中佐）がきいた。棘々しい口調になっているのが、ありありとわかる。

昌碌《チャン・ルー》少校（少佐）が手袋をはめた手に握っているレンチは、地球の軌道を半分まわったところでファーマー大佐が国際宇宙ステーションのハッチを叩くのに使ったＨＥＸＰＡＮＤ

Oを、完璧にコピーした工具だった。ただ、このレンチは深圳の愛国的なハッカー部隊が盗んだ設計によって、北京の有人宇宙工学局が製造した。問題は、昌がはずそうとしているボルトが、レンチとはちがって完全なコピーではないうえに、びくとも動かなかった。昌は力をこめたが、ボルトはびくともしなかった。

「もうちょっとです」昌はいった。

あとの太空飛行士《タイコノート》三人が、天宮《ティエンゴン》3号宇宙ステーションに戻ってゆくのが、目にはいった。運のいいやつらめ。

天宮宇宙ステーション開発計画は、二〇〇三年に中国がはじめて有人宇宙船を軌道に乗せたときからずっと計画されてきた。欧米の批評家たちは、初期の神舟《シェン・ヂオウ》宇宙船は、アメリカの一九六〇年代のジェミニ宇宙船のまずいコピーだとけなした。しかし、NASAのコンピュータ設計ファイルが大量に中国のエンジニアの手に渡ったことも助けになり、開発計画は急速に進んだ。神舟のあと、最初の天宮宇宙ステーションは、全長一〇メートル、重量八トンのシングル・モジュール試験機として、二〇一一年に打ち上げられた。NASAの一九七〇年代のスカイラブとおなじ仕様だった。つづいて二〇一五年に多モジュールの天宮2号が開発された。全長一五メートル、重量二〇トンで、NASAが一九九〇年代にはじめて開発した国際宇宙ステーションと同等の設計だった。開発計画はたちまち加速して、競合する外国とついに太刀打ちできるようになった。欧米の批評家はもう馬鹿にせず、NASAが達成するのに六十年かかった開発を、中国が十五年で成し遂げたことに驚嘆した。

全長二五メートル、重量六〇トンの天宮3号宇宙ステーションは、中国の誇りで、国の祝日に打ち上げが行なわれた。七つのモジュールがT字形に組み合わさり、中核の乗員区画は太空飛行士六人を収容できる。ソーラーパネル四枚が、全長三七メートルに展張され、ドッキング・ポートには宇宙船四隻を接続できる。T字の上には、微小重力状態でさまざまな実験ができるように設計された研究モジュールが、平行にならんでいる。

だが、国際社会がこの宇宙ステーションについて知っていることは、そこまでだった。左側のモジュールには、じつはまったく異なる目的があった。ところがいま、チタンのボルト一本の不具合のために、覆いをはずすことができない。

昌は、ボルトをはずすには、もっと回転トルクをかけないと無理だと気づいた。手順には反するが、命綱をはずすしかない。

「位置を変えます」昌はいった。

「だめだ《ネガテイヴ》」歓が応答した。「船内に戻れ。だれかをそこにやって、おまえの仕事をやらせる」

「時間がありません」昌はいった。「命綱《テザー》をはずします」

そのあと、昌が長いレンチを強く引くと、ボルトがゆるんだ。なんなくハッチカバーをはずすと、目の前にレーザーのレンズの鏡面があった。そこに映る地球をじっと眺め。平和な青い地上と重なっている自分の姿を見た。

「終わりました」昌はいった。

「おまえにそんな度胸があるとは思わなかった、昌。でかした」歓がいった。棘々しさが声から消えていた。

昌は宇宙ステーションとのテザーをつないで、メインハッチに向かった。そのあいだに歓が天宮3号の兵装システムを起動させた。十二時間前に、歓が宇宙での活動のライブ映像送信を中止したときから、戦時態勢になりつつあることを、乗組員は意識していた。だが、まだ現実とは思えなかった。

太空飛行士たちが全員ステーション内に戻ると、歓は兵装モジュールの電源を入れた。酸素・沃素化学レーザー（ＣＯＩＬ）の設計は、もともと一九七〇年代末に米空軍が開発した。ボーイング７４７ジャンボ機を改造した機体に積み、レーザーが飛翔中のミサイルを撃墜する能力をテストした。だが、最終的に、密閉された空間で化学物質を使うレーザーを使用するのは危険だと、アメリカは判断した。中国の判断は異なっていた。乗組員の区画からふたつ離れたモジュールで、過酸化水素と水酸化カリウムの有毒な混合物が、気体塩素および分子沃素と混ぜ合わされた。

出力表示が赤に変わるのを見ながら、これは現実なのだと、昌は思った。化学物質が混合され、励起された酸素がエネルギーをレーザー兵器に送り込みはじめたら、もう後戻りはできない。行動するのに四十五分、そのあとはパワーが枯渇する。

この人類初の戦時の宇宙レーザー発射に際しては、じゅうぶんな予行演習が行なわれていた。射撃諸元に標示されている各攻撃目標《ターゲット》は、きわめて厳しい訓練を通じて一年以上ずっと、識別され、優先順位が定められ、追跡されていた。あまりの厳しさに、やがて乗組員たちは、地上の図上演習《ウォー・ゲーム》のたんなる支援作業ではないと気づいた。研究モジュールで長時間働いたことが、いよいよ報われるのだ。

「発射手順開始」歓がいった。「復唱しろ」

それぞれの兵装ステーションから、太空飛行士たちがひとりずつ応答した。昌は目の前の壁にテープで留めてある写真に触れた。満面に笑みを浮かべている妻と、歯を見せて笑っている八歳の息子の写真の上で、指がしばらくぐずぐずしていた。にこにこしている旻《ミン》は、前歯二本がなく、昌の青い空軍士官の略帽をかぶっていた。

写真を撮る前の晩、昌が旻にその帽子を贈ったとき、妻がひどく怒ったことは、その写真ではわからない。息子が董事会のプロパガンダを手伝っているように見えると、昌の妻は考えたのだ。

昌は写真から手を遠ざけ、自分が分担している作業である、照準手順のモニターを開始した。「準備よし！」と大声でいったので、歓もびっくりした。

冷戦中のアメリカとソ連は、相手の衛星ネットワークを地上から発射するミサイルで破壊する構想を立てていた。そのため、軍上層部は従来、ミサイルを衛星に対する脅威だと見なしていた。最近も中国は対衛星ミサイルを開発し、ミサイルの試射と、いっこうに進展しない兵器削減交渉を交互に行なって、その脅威を煽った。地上の兵器に目を向けさせるための策謀だった。アメリカは、空を見あげるべきだったのだ。

昌はもう一度写真を盗み見てから、歓が赤い発射ボタンの上で人差し指をしばしとどめているのに目を留めた。重大な一瞬を味わっているように見えた。と、歓がボタンを押した。

静かなブーンという音が、モジュール全体にひろがっていった。大砲の砲声のような激しい響きや、断末魔の悲鳴はない。宇宙ステーションが戦闘状態にあることを示すのは、間断ないポンプのうなりだけだった。

最初のターゲットは、米空軍の広域帯間隙補完用レーダー衛星群、WGS‐4だった。ソーラーパネル二枚が主翼のように突き出した箱型の衛星で、重量は三・四トン、二〇一二年にケープ・カナベラルから撃ちあげられたデルタ4ロケットの先端部分に取り付けられていた。

コストが三億ドル以上のこの人工衛星群は、米軍とその同盟国軍に、帯域幅切り替え可能な四八七五ギガヘルツの高速通信を提供している。それによって大量のデータを送れる。米空軍の人工衛星群から米海軍の潜水艦に至るまで、ありとあらゆる通信をまかなっている。米宇宙軍の主要な通信接続中継点《ノード》でもある。国防総省は、多数の衛星群を軌道に乗せて、ネットワークをできるだけ攻撃に脆くないようにしたいと計画していたが、調達コストの高騰のために、現在はわずか六基しかない。

天宮3号宇宙ステーションの化学レーザーは、赤外線ではなく可視光線だったとすると太陽光の十万倍の明るさになるはずのエネルギーをほとばしらせた。五二〇キロメートル離れたところで、溶接トーチなみのパワーで最初の光線が衛星に命中した。WGS - 4の放射線遮蔽筐体に穴があき、やがて内部の電子機器が焼かれた。

歓が赤いボールペンをカチリと鳴らしてペン先を出し、第一次世界大戦の撃墜王が複葉機の機体に敵機撃墜のしるしをつけるように、そばの壁に線を一本引いた。地上からの命令で、そういう芝居がかったことをやっているのだ。この作戦のドキュメンタリーが制作されたあかつきには、重要な場面になる。勝利の一瞬を、数十億人が目にするはずだった。

「一基破壊した」歓がいった。「昌、おまえが的をはずさなかったんで、みんなほっとしたよ」大げさな身ぶりで、またカチリと鳴らし、ペン先を引っ込めた。

「そうですね」昌はそういってから、アドリブでつけくわえた。「はずしたら、わたしはエアロックから出ていって、自分で自分を始末しましたよ。中校に面倒をかけるのは悪いですからね。ターゲット#2に再設定します」

もともとX - 37と呼ばれていたUSA - 226は、米軍の無人宇宙機だった。昔のスペースシャトルの八分の一の大きさで、さまざまな雑用や宇宙での修理作業など、かつてのスペースシャトルとほぼおなじような作業に使われている。衛星とランデブーして給油したり、ロボットアームを使って故障したソーラーパネルを交換したり、衛星維持のための数多くの作業を行なう。

だが、天宮3号の乗組員も各国の軍隊も、米軍がUSA‐226を宇宙のスパイ機にも使用していることを知っていた。USA‐226は、おなじ場所をおなじ高度で何度も飛行していた。それがたいがい、軍の監視衛星が使用する高度だった。パキスタンを数週間にわたり監視し、それからイエメンとケニヤを監視し、最近はシベリアの中ロ国境上空にいる。

WGS‐4衛星を経由する主要制御通信リンクが失われたため、アメリカの小さな宇宙機は自律モードに切り替わり、内蔵のコンピュータで誘導信号を探したが、見つからなかった。加速を中止し、衝突を避けるために通常の軌道を周回するというのが、こういう臨時状態でのUSA‐226の規定手順だった。要するに、ロボット宇宙機は身の安全をはかるために動かなくなるので、仕留めやすいターゲットになる。

太空飛行士たちは、ターゲットのリストをつぎつぎとこなしていった。つぎは静止軌道宇宙状況認識（GSSA）システムだった。これは他の衛星を監視する衛星群だった。アメリカの通信衛星群が使用不能になったいま、この衛星群を排除すれば、たとえネットワークを復旧させることができたとしても、アメリカは宇宙の目を失う。そのあとは、米軍移動加入者対象システム（MUOS）の衛星五基が残るだけになる。これはいわば軍用の全世界携帯電話プロバイダーだ。五度のレーザー発射で、米軍の航空機、艦艇、車両、兵士を結ぶ狭帯域通信が排除された。つぎのターゲットは、すべての艦艇を結ぶ米海軍UHF帯通信衛星（UFO）システムだった。内蔵の照準システムに従って太空飛行士たちが、攻撃アルゴリズムを順序よく実行すればいいだけなので、じつにあっけなかった。おなじ高度に衛星が固まっているときには、一基ずつ片づけなければならず、すこし手間取る程度だった。
最後に〝お世話〟すると歓が冷たくいい放ったターゲットは、荷電粒子探知衛星だった。NASAとエネルギー省が共同開発したシステムで、放射能流出を探知する一手段として、福島原発事故の数年後に打ち上げられた。天宮3号のレーザーが連射され、衛星の燃料が爆発した。

歓がようやくボールペンをフライト・スーツのポケットにしまったときには、壁に四十七本のしるしが残っていた。

国際宇宙ステーションは〝べつの手段〟で始末する、と聞かされていた。地球の裏側で、廃棄されたブースター・ロケットが、何カ月も眠っていたあとで息を吹き返した。近くの軌道にあったアメリカの政府や民間の通信・画像衛星に向けて、ブースターが衝突針路でカミカゼ攻撃をかけた。アメリカの地上管制官は、貴重な資産を安全なところに移動させることができず、宇宙の大混乱を手もなく見守った。

「診断を行ない、レーザー励起システムのパワーを放出します」昌はいった。眼下の地球でなにが起きているかを考えたくなかったので、せわしなく作業をつづけた。

「よし」歓がいった。「では、攻撃の画像をまとめておいてくれ。あとでじっくり見たい」あんたのことだから、当然そうするだろうな、と昌は心のなかでつぶやいた。

ハワイ　パール・ハーバー・ヒッカム統合基地　沿海域戦闘艦〈コロナド〉

七歳のときに父親がほんのひと口飲ませてくれた、最初のコーヒーと、おなじ味だった。砂糖もクリームもなし。苦くてまずい。母親が好きなバニラの香りのラテとは、まったくちがう。「海軍にいたら、艦内でそんなろくでもないものを足すひまはない」と、父親はそのときに説明した。子供たちにはいつもそんな助言しかしなかった。

〈コロナド〉でコーヒーをいれる掌帆兵曹も、やはりバリスタではないので、ブリッジの当直員はみんなそのまずいコーヒーを飲みながら、まわりで港が目醒めてゆくのを眺めた。衛生兵曹にもらう興奮剤のほうが効くとわかっていたが、海軍はしきたりを護る。苦いコーヒーは、夜明けとおなじように朝の当直には付き物なのだ。

シモンズは、マグカップを置いて、〈コロナド〉の甲板を照らしている陽射しに目を向けた。〈コロナド〉は十歳の誕生日を祝ったところだが、それでもトリマラン型の船体三本の鋭利なデザインは、《スタートレック》の映画に出てくる未来のスターシップのようだと思った。シモンズの父親は昔の《スタートレック》が大好きなので、シモンズと妹のマッケンジーが、まだ幼くて理解できないのに、リメイクの映画に連れていった。それを知ったとき、母親はカンカンに怒った。でも、いい思い出になり、マッケンジーは空のポップコーン容器を持って帰り、大切にしていた。幼い子供は、そんなふうに、つまらないものを記念品にするものだ。父親が出征する前、マッケンジーが死ぬ前の、数すくない幸せな思い出のひとつだった。

シモンズは、左舷の窓のほうへ行き、二十五セント玉くらいの穴の跡をしげしげと見た。エポキシ樹脂の継ぎを、指でなぞった。最後の対海賊哨戒のとき、機銃の連射が窓とアルミの上部構造の二カ所を撃ち抜いた。そこも修理してある。さいわい負傷者は出なかったが、沿海域戦闘艦《LCS》は速力が身上で、激しい戦闘には向いていないことを、乗組員たちはあらためて思い知った。そのあとで乗組員数人が、ライリー艦長の座席をアルミホイルで巻き、〝防弾措置〟だとジョークにした。艦長はあまりいい顔をしなかった。

混雑した港内の他の軍艦を朝陽がオレンジ色に染めるのを見守り、このブリッジで指揮をとることはもう何度もないのだと思いながら、シモンズはその一瞬を味わった。サンディエゴに帰投したら、心は決まっていることを、ライリーにいわなければならない。

ブリッジに詰めていた若い水兵、ランドール・ジェファソン三等水兵が、副長が物思いにふけっているのを見て、おずおずと近づいた。

「副長、お邪魔してすみませんが、なにかが起きたら報せるようにとおっしゃっていましたので」ジェファソンがいった。「ソナーが動きを探知しました。本艦のすぐそばで、速い動きで、近づいたり遠ざかったりしています。魚かイルカかもしれませんが……」

「あやまらなくていい。港内でも油断していないのはいいことだ。REMUSを出して、調べてみよう」

シモンズは、魚雷に似た蛍光《ネオン》イエローの装置を海におろすよう命じた。REMUS（遠隔環境計測ユニット）は自律型の無人潜水艇で、〈コロナド〉が高速フェリーを原型としているのとおなじように、もとは民間の装置だった。ロボット・ミニチュア潜水艇ともいうべき無人の水中システムで、マサチューセッツ州のウッズ・ホール海洋学研究所が開発した。港湾施設の検査、海洋汚染の監視、水中探査のような民間利用が、おもな目的だった。ディスカバリー・トラベル・チャンネルのSIM（疑似体験）には、欠かせない機材だ。だが、イベントの〈シャーク・ウィーク〉向けの画像を集めるのに使えるだけではなく、水中監視任務にもうってつけだった。

シモンズは、ブリッジにはいり、第一世代のソニー・プレイステーションのコントローラーに似たものでミニサブを操っているジェファソンのうしろに立った。手持ちのビデオゲームのコントローラーなので、水兵には扱いやすいはずなのだが、3Dイマージョンのゲームをやっているいまの世代には骨董品みたいに思えるようだ。〈コロナド〉の位置を撮影している衛星画像、現在位置の周囲の水面と空の交通状況、乗組員と艦のシステムの現況報告を表わすカラーの球形チャートの横に、REMUSの画像が表示されていた。

「赤外線ではなにも探知していません」ジェファソンがいった。「目視に切り替えます」

「全画面表示にしてくれ」シモンズは指示した。

カメラがまわって、画面に灰色の影のかたまりが現われた。シモンズは、濁った水の秘密を暴こうとするかのように、目を凝らした。

「はいはい、そこです」ジェファソンがいった。カメラをズームして、艦尾の下をゆっくりとまわっている黒い形を捉えた。カメラの焦点が合いはじめた。

あそこだ。まちがいない。濃紺の背景に、ダイバーのかすかなシルエットがあった。

「地元の馬鹿なやつが、潜っちゃいけないところに潜ってるんでしょう」ジェファソンがいった。

だが、そのときダイバーが動きをとめ、まるで船体の下で祈るみたいに、両腕を高くあげた。

「なにかを持っている」ジェファソンがいった。ダイバーは、ゴミバケツの蓋に似たものを差しあげた。ゆっくりとキックし、〈コロナド〉の船体にじわじわと近づいた。

シモンズは、喉にこみあげてきたコーヒーを吐きそうになるのをこらえた。

「戦力防護警報を鳴らせ！　テロ攻撃の可能性あり。戦力防護態勢デルタ！」シモンズは叫んだ。「艦長を起こせ。ダイバーが吸着機雷とおぼしいものを船体に取り付けようとしていると伝えろ」

シモンズはヘッドセットを持ち、声を落ち着かせた。恐怖がにじめば、全艦に伝わるとわかっていたからだ。

「こちら副長。戦力防護《FP》保全チームは左舷に。舵の作動を確認、ソナー起動。物品状態区分ゼブラ（総員配置。戦時に入港・出港の際に火災と浸水に最大限に備える）」シモンズはいった。「FPチーム、ダイバーが爆発物を船体に取り付けようとしている。追い払え。砲雷射撃よし。各個随意に撃て」

乗組員が左舷へ走り、ダイバーを見つけようとして、大混乱が起きた。ブリッジのあいている水密戸《すいみつど》から、切羽詰まった叫び声が聞こえた。

「あそこだ」

「いや、あそこだ」

「どけどけ、さっさとどけ！」アントン・ホロウィッツ兵曹がどなった。ホロウィッツは、それまで右舷の舷門近くで立哨していたのだが、揉み合っている乗組員を押し分け、左舷へ行った。

ホロウィッツが手摺からできるだけ大きく身を乗り出し、M4カービンで艦首から艦尾まで楕円を描いてくまなく撃ち、水しぶきがあがった。テロ攻撃のさなかに楽しいなどと思うのは妙だったが、じつに楽しかった。ホロウィッツは、この手の仕事がやりたくて二カ月前に再入営し、SEAL志願を許可すると、艦長に約束されていた。すでに要求されたDNAと血液サンプルをSEAL選抜委員会に送ってあり、筋肥大化運動《ハイパートロフィー・ワークアウト》を最大限に加速させていた。

ブリッジでは、ホロウィッツの撃った銃弾がこしらえる小波が画面上で小さな白い線になり、数フィート先でとまるのを、ジェファソンが見ていた。赤外線画像に切り替えると、黄色い針が水に突き刺さっているように見え、熱が散るとともに、それがたちまち消えていった。ひやりとするほどREMUSの近くに撃ち込まれている銃弾もあったが、ダイバーの近くにはほとんど弾着していなかった。

「副長、ぜんぜん当たっていませんよ」ジェファソンがいった。

「REMUSを方向転換させて、二〇〇メートル離せ。それから、全速力で本艦にひきかえさせろ」シモンズは命じた。

「本気ですか?」ジェファソンがきいた。

日本　東京上空　高度二五〇〇メートル

東京は広いとは聞いていたが、接近すると果てしなくひろがっているように見えた。アレクセイ・デニソフ三等海佐のMiG‐35K戦闘爆撃機は、即座に所在を知られてしまうソニックブームが発生しないように、音速よりも遅い時速八七五キロメートルで飛んでいた。それでも眼下のビルのジャングルは、延々とつづいているように見えた。だが、計画はうまくいっているようだった。右側の夜光計器盤の脅威探知アイコンは、急を要する情報をなにも伝えていない。デニソフは、多機能防御電子妨害《ジャーマー》装置のトグルスイッチに指を置いたままにしていたが、これまでのところは一度も誰何《すいか》されていなかった。

理由は単純だった。日米合同の防空網は、主に西の中国からの脅威を想定して設計されている。デニソフとその配下の戦闘爆撃機二十一機は、東の海上の空母〈アドミラール・クズネツォフ〉から発艦した。〈アドミラール・クズネツォフ〉は、中国の航空攻撃の及ばない北太平洋で演習を行なっていると思われている。ところがじつは、衛星監視に間隙ができるのを待って、三〇ノットで八時間南へ急行し、この攻撃パッケージが作戦行動を行なえる範囲内に移動していた。MiG編隊は高速で低空飛行し、日本本土に達すると、成田空港発の定期便の飛行経路に見せかけるために上昇した。

成田空港付近の早期警戒レーダーの信号が、デニソフのMiGを流れ、レーダー警戒受信機が低いうなりを発した。かなり近いので、MiGのステルス特性も通用しない。航空交通管制官が躍起になって呼びかけるのが、無線から聞こえた。デニソフがボタンを押すと、録音された応答メッセージが再生された。わけのわからないおしゃべりにしか聞こえないが、

〈クズネツォフ〉のＦＳＢ（連邦保安局）将校は、こういう場合にはそれを再生しろと明確に指示していた。

地上の航空交通管制官の耳には、ソニーの重役用ジェット機のパイロットが心臓発作を起こしたというように聞こえていた。

ＭｉＧ編隊が宮崎県を通過し、琉球諸島に向けてふたたび針路変更したときには、ついに日本の防空網に捕まったことがはっきりした。デニソフのレーダーには、誘導を受けて最大速度で飛来する日本航空自衛隊のＦ‐15戦闘機四機が映っていたが、こちらが目標に到達する前に追いつかれることはまずありえない。くだんの策略で稼いだのはほんの数分だが、それでじゅうぶんなはずだった。

上空をレーダーで捜索して、襲来する敵戦闘機がいないことをたしかめると、デニソフは部下と祖国のために早口で祈った。自分のことは祈る必要がない。指揮官というものは、恐怖のかけらもなく、確信のみで作戦を実行しなければならない。損耗は出るだろうが、成功するはずだと思っていた。ターゲットの最新映像では、堅固化航空機掩体《えんたい》に格納されている米軍機は、わずか十一機だった。あとの数十機は、いつもどおり露天に駐機している。

ＭｉＧ編隊が低高度に降下し、音速を大きく超える時速一五〇〇キロメートルという海抜〇メートル付近での最大速度で突進した。新鋭のＭｉＧ‐35Ｋは、アメリカでは第四世代プラスの戦闘機と呼ばれている。ステルス特性は完全ではないが、レーダー断面積は大幅に縮小されている。これからは一秒一秒が重要だった。MiG編隊が沖縄に接近すると、デニソフのレーダー警戒受信機に脈動する赤いアイコンが現われた。日本がアメリカから調達したペトリオットⅣミサイルを装備する高射特科群が、低空飛行中のMiGを追跡していた。照準に捉え、いつでも撃墜できる状態だった。

これは計画の成否を左右する部分だった。デニソフは深く息を吸い、待った。ミサイルが脅威になるのは、だれかが発射ボタンを押したときだけだと、自分にいい聞かせた。しかし、日本の自衛隊は、文民の指導者の許可なくターゲットを攻撃することを許されていない。二十年間、毎日のように中国軍機に領空侵犯されて鈍感になっているし、サイバー攻撃で通信網が使用不能になっているはずだった。とにかく、計画ではそうなっている。

だからこそ、邪魔がはいらない最初の爆撃航過はしくじってはならないと、出撃前ブリーフィングで、デニソフ三佐は部下に命じた。「おまえたちの一生でもっとも重要な射爆を行なうのだし、くりかえしはきかないかもしれない。心してやれ」

栄光を唱える鬨《とき》の声が編隊通信網を流れる、ということは起こらなかった。無線から聞こえるのは、ハワイ沖で毎年行なわれるRIMPAC（環太平洋国海軍合同演習）を監視するロシアのスパイ船がデジタル録音した、F‐22ラプターのパイロットの声だった。迷いを生じさせ、日本とアメリカの対応がさらに数秒遅れるように仕向けるためだ。

MiGのヘッドアップ・ディスプレイに表示された無音のアイコンが、到達したことを知らせた。嘉手納航空基地。ここでデニソフの戦いがはじまる。

ひらめくような動きが、デニソフの目に留まった。濃いグレーの矢が四本、飛行隊の前方へ飛んでいった。第二飛行中隊が、ソーコル（ハヤブサ）・ミサイルを一斉に発射したのだ。ソーコルは一種の小型化された巡航ミサイルで、指向性エネルギーのパルスによって防空・通信システムを使用不能にする電磁兵器だった。あらかじめプログラミングされた針路に応じて、ソーコル・ミサイルは途中で分かれ、それぞれの背後に広い電子の死角をこしらえた。

ＭｉＧ編隊の最初の射爆は無音だったが、つぎの破壊の波は耳を聾した。デニソフは、ＲＢＫ‐５００クラスター爆弾四基を、嘉手納基地の三・五キロメートルの滑走路近くに無防備に駐機されていた米軍機の上に投下した。ＭｉＧにバンクをかけたとき、交戦するために急いで掩体から引き出されているＦ‐35Ａライトニング戦闘機が、ちらりと見えた。ＭｉＧ‐35はＦ‐35に対抗するよう設計されているし、どちらの戦闘機のパイロットも、実戦で戦ったらどういう結果が出るのだろうと、つねに考えている。しかし、決着をつけるのは、後日を待たなければならないだろう。筒型のＲＢＫがデニソフの後方でぱっくりとあき、缶ビールほどの大きさの小爆弾が一基あたり十五個ばらまかれた。小さなパラシュートがひらき、小爆弾の群れが地表へと漂っていった。

地表の一〇メートル上で近接信管が作動して、小爆弾がつぎつぎと炸裂した。六十の爆発が航空基地をくまなく切り裂き、米空軍の最新鋭戦闘機多数を穴だらけにした。

デニソフの二番機がつぎに航過し、貫徹型滑走路破壊爆弾三発を投下した。巨大な爆弾の強化された尖端が滑走路を突き破り、約五メートル地中に潜ってから、一・五トン以上の爆薬が起爆した。たとえ堅固化航空機掩体に護られている少数の米軍機が、クラスター爆弾の被害を受けずに生き延びたとしても、太平洋最大の米軍航空基地は、数週間とはいわないまでも、数日のあいだ使用不能になる。

六キロメートル離れたところでは、編隊最後尾のMiG‐35K二機が、すれすれで交差して離れてから、機体を傾けてひきかえし、想像上のXの中心に向けて突進した。日本で最大の海兵隊基地のまんなかが、そのXに当たる。駐屯している海兵隊九千人は、本来なら五年前にグアムに移転するはずだった。だが、移転費八十六億ドルの負担をめぐって、米議会と日本政府のあいだに政治抗争が起き、移転が遅れた。せっかくの好機が失われたのだ。

MiG二機は、一〇〇メートル以下の距離でふたたび交差した。Xの二本の線が交差する地点で、一基あたり一・三トン足らずのKAB‐1500S熱爆風爆弾《サーモバリック》四基が投下された。爆弾がひらいて爆発性の蒸気の巨大な雲がひろがり、それがべつの起爆剤によって点火された。MiG二機が飛び去ると同時に、長崎このかた最大の爆発が起きて、煙と塵のキノコ雲のようなものが基地上空に湧きあがった。

デニソフはようやく欺瞞用の録音された音声を切り、編隊に点呼をかけた。航空基地、地上基地、さらに沖に錨泊していた米海軍空母への攻撃は、成功だった。遅ればせながら反応した防空部隊によって、わずか五機を失っただけだった。じつにすばらしい。

アメリカが八十年前に日本に対して駆使した作戦計画をロシアが真似たことを、アメリカ側が高く評価してくれるとは思えなかったが、ドゥーリトル計画はうまくいった。安堵が声に出ないように気をつけながら、デニソフは生き残った戦闘機に、中国沿岸へ機首をめぐらすよう命じた。

それも、第二次世界大戦の初期にアメリカが実行した空襲を真似ていた。予想外の方角から襲いかかって、片道飛行で空爆を行なえば、敵が不可能だと思っている長距離から攻撃できる（空母〈ホーネット〉から航続距離の長い陸軍のB‐25爆撃機十六機を発艦させ、東京などの都市を空襲し、大半は機を捨て、中国本土にパラシュート降下した。指揮官はジミー・ドゥーリトル陸軍中佐）。ロシア海軍は役割を果たした。こんどは中国の空中給油機が約束どおり待っていると信じるしかない。

この空爆はデニソフの独創ではなかったが、第二次世界大戦中の東京空襲もジミー・ドゥーリトルの発案ではなかった。もしかすると、歴史はおなじように指揮官の名前でこれを呼ぶかもしれない。デニソフ空襲というのは、なかなかいい響きだ。

ハワイ　パール・ハーバー‐ヒッカム統合基地　米岸軍沿海域戦闘艦〈コロナド〉

〈コロナド〉の甲板にいたホロウィッツは、ＲＥＭＵＳが方向転換したところの水面が、不意に小さく波立つのを見た。フライフィッシングの釣り師なら、魚があがってきたと思うところだろう。ホロウィッツは一瞬手をとめ、また脅威を撃つのに集中した。空薬莢が甲板ではずみ、水に落ちてジュッという音を立て、しばらく浮かんでいてから、やがて水面を割って沈んでいった。

「REMUSが戻ってきます」ブリッジで、ジェファソンがいった。「こんどは？」

「ダイバーのケツにぶち当てろ！」シモンズはいった。

「アイアイ・サー！」

ジェファソンが、ジョイスティックをそっと右に動かし、つづいて左に動かして、ダイバーを画面の真ん中に捉えた。そして、スロットル全開にした。

甲板でホロウィッツのM4が、カチリという音をたてた。弾倉が空になったのだ。ホロウィッツは目も向けないでベルトのパウチに手を突っ込み、つぎの弾倉を抜いて、カービンにはめ込もうとしたが、手が滑り、その最後の弾倉は海に落ちた。あと三十発あれば仕留められたかもしれないのに、それがだめになった。

水兵でなければとても使えないような悪口雑言で、ホロウィッツは海を罵ったが、艦に向けて高速で航走する物体が見えたので、言葉を切った。おそれいった。テロリストだけじゃなくて、こんどは魚雷か！

水中の映像が、REMUS制御ステーションに表示されていた。ダイバーが機雷を船体に取り付けようとしたとき、なにかが迫っていると第六感が警告した。ダイバーが首をまわし、ふりかえって見た。ジェファソンの見た最後の映像は、ゴーグルをはめたダイバーの愕然とした表情だった。つぎの瞬間、REMUSがダイバーの左顎に命中し、その向こうの船体に激突した。

甲板ではホロウィッツが、REMUSがゴンとぶつかるのを感じ、白い水柱が高々と噴きあがるのを見た。そのあとは沈黙に包まれた。

パナマ運河　ガトゥン湖〈ルビー・エンプレス〉

アルネル・レイエイスは、キプロス船籍の石油タンカー〈ルビー・エンプレス〉の手摺から、黒いペンキの薄片をつまみ取った。

「あたしは、昼過ぎの空みたいなブルーが好き。この子は男の子だから、きっとブルーが好きよ」電話で妻がいった。赤ちゃんだろうが大人の男だろうが、壁紙の色なんか気にしないと、アルネルはいいたかった。だが、いまは愛情をかき集められるだけ集めて、妻のご機嫌をとらなければならない。アルネルはパナマ運河で船の甲板に立っていて、妻はマニラの家にいるのだから、なおさらだった。

「ブルーにしよう、おまえ。二週間たったら帰るから、そうしたら赤ん坊のために塗ってやろう。時間はたっぷりあるからね」

「あなたはずっといないんだから、たっぷりとはいえないわよ。やることがいっぱいあるのよ。それに、名前をどうするか、話をしていないじゃないの」アンナ‐マリアが、電話の向こうでいった。「あたしのお母さんが考えたのはね——」

そこで電話が切れた。

こちらが切ったとアンナ‐マリアに思われるのではないかと、アルネルは心配になったが、かけ直してもまったくつながらなかった。携帯電話をポケットに戻し、熱い手摺から体を遠ざけた。おかげでよけい不愉快になった。それでなくても、運河の閘門《こうもん》を通るのに船がならんで待たなければならないので、パナマ運河通過はなかなかはかどらず、いらいらするのだ。

アルネルが梯子《ラッタル》をいくつも昇っているときに、ブリッジで騒いでいるのが聞こえた。船内のものはすべてきちんと片づけられていたが、無線だけは交信がさかんだった。二隻前にならんでいた中国船籍の貨物船〈祥福門《シアンフーメン》〉が、機関の回転をあげた。正気の沙汰ではない。待機ゾーンで加速するとは、中国船の船長はいったいなにを考えているんだ？　受領通知し、停止しろと、運河長が無線で悲鳴のような声で呼びかけていた。だが、応答はなかった。

アルネルはようすを見ようとして、最上甲板へ走っていった。列車の衝突事故をスローモーションで見ているみたいだった。〈祥福門〉は、わずか四ノットで航走していた。ジョギングよりも遅いくらいだ。だが、一二万トンの重量がそれを後押ししている。〈祥福門〉はゆっくりと閘門に食い込み、門扉を内側に押し潰した。

パナマ運河地帯を管理している中国企業が、事故の片づけをするのにどれほどかかるか、アルネルには見当がつかなかったが、投資分が大損になることだけはわかる。

「まあ、千八百億ドルは、おれが出したわけじゃないし」アルネルは乗組員のひとりにいい、乗組員は返事の代わりにくすくす笑った。

とにかく、大西洋と太平洋を結ぶ幹線が、しばらく通行止めになる可能性が高い。アルネルはポケットに手を入れた。女房に電話しておいたほうがよさそうだ。

ハワイ　パール・ハーバー・ヒッカム統合基地　沿海域戦闘艦〈コロナド〉

ホロウィッツが意識を取り戻すと、仰向けになって海に浮いていた。ちぎれた黄色い金属が一枚、すぐそばを漂っていた。その向こうでダイバーの死体がうつ伏せに浮かんでいた。

ホロウィッツは、〈コロナド〉のほうを見あげ、どうして海に浮かんでいるのかを思い出そうとした。耳が鳴り、上陸許可後の二日酔いとは比べ物にならない、ひどい頭痛に襲われていた。副長がブリッジから見おろしているのが目にはいった。水中から敬礼すると、副長がにやりと笑って、答礼した。

　ホロウィッツと黒ずくめの死体を、内火艇が海から引きあげた。水兵たちは、にやにやしながらホロウィッツを乗せたが、死体はおそるおそる扱っていた。

　内火艇が〈コロナド〉に横付けされ、ダイバーの死体は艦尾のヘリコプター甲板に運びあげられた。ホロウィッツはそのあとをよじ登って、死体のまわりにたちまち群がった小さな人だかりに混じった。死んだダイバーのまわりで、みんなひそひそとしゃべっていた。大きな声を出すと生き返るとでも思っているみたいだった。

「押すなよ」ひとりの水兵がいった。「こいつをVIZで撮らないと」

「だめだ」べつの水兵がいった。「こいつは死んでる。規則は知っているだろう」

「副長が来る」鋭いささやきを聞いて、野次馬たちは緊張し、順序よくうしろにさがって、シモンズの通り道をこしらえた。

「朝の水泳は格別だな、ホロウィッツ」シモンズは、笑みを浮かべて言葉をかけた。「ピンピンしてるな」

「アイ、サー」ホロウィッツが答えた。「水泳の相棒《バディ》のほうは、そうはいえないんですが」

　ひとりの水兵がダイバーのマスクを剝がし、飛び出しそうになっている目が見えた。ホロウィッツは、吐き気に襲われた。男の顎の左側が血みどろで、凹んでいたが、あとは目鼻立ちがそのままだった。ブロンドの髪を短く刈っていて、眠っているバイキングみたいに見えた。

「ほんとうにこいつですかね?」ひとりの水兵がきいた。「おれがこれまでに見た聖戦士とはまるでちがうけど」

だれかがシモンズに、壊れたダイビング・マスクを渡した。シモンズは、プラスティックの破片で手を切らないように気をつけながら、両手でひっくりかえしてみた。それからしゃがみ、死体をつぶさに見た。顎と鼻にうっすらと縫合の跡があり、ボクシングでしじゅう骨折していたような感じだった。

「ひっくりかえせ」シモンズは命じた。

死体を裏返しにしたとき、ネオプレーンのウェットスーツではないことに、ホロウィッツは気づいた。もっと厚い素材でできている。そのとき、身につけているのが通常のスキューバ器材ではないことを見抜いた。

「副長、これは閉回路酸素供給機《レブリーザー》ですよ」ホロウィッツはいった。「泡が出ないようにＳＥＡＬが使うやつです。ウェットスーツにも熱遮断がほどこされています」

シモンズはうなずき、死体からはずされた器材を調べた。手首に取り付けたダイビング・コンピュータは、なめらかな形状で、明らかに軍用規格だった。防護カバーには中国の標章があった。

副長がひとこともいわず、ブリッジへ突っ走っていったので、残された水兵たちはきょとんとした。

〈コロナド〉は大きな艦ではないので、シモンズは二十五秒とかからずにブリッジへいった。ライリーが来ていた。下着のＴシャツのままだが、つばの上に艦長徽章のごちゃごちゃした金糸の縫い取りがある、〈コロナド〉の野球帽をかぶっていた。ジェファソンが、ＲＥＭＵＳの動画をライリーに再生して見せていた。シモンズがブリッジに飛び込むと、ライリーがふりむいた。シモンズは動画が映されているスクリーンをよけて通らず、その前を突っ切って、画像を波立たせた。

「やったか？」ライリーがきいた。

シモンズは、ライリーをほとんど無視して、通信士の顔を見た。

「ＰＡＣＯＭ（太平洋軍）をいますぐ電話で呼び出せ！　ＯＰＲＥＰ３‐ＰＩＮＮＡＣＬＥ（ＮＭＣＣに上申する国家レベルの重大事件報告）通信文を用意しろ」種別ラインにＰＩＮＮＡＣＬＥと記された通信文は、すべて自動的に、海軍全体の指揮系統だけではなく、統合参謀本部と大統領のために事件を監視しているＮＭＣＣ（国家軍事指揮センター）の重大事項に指定される。

「ダイバーひとりに、やりすぎじゃないのか、副長。まず当直ソナー艦に通知し、ほかに情報がないかどうかたしかめよう」

「時間がかかりすぎます。ただちにＰＩＮＮＡＣＬＥメッセージを送る必要があるんです、艦長」シモンズはいった。

通信兵曹が、シモンズからライリーに視線を移した。「艦長、副長、無線がまったく使えません。自分の電話もネットワークに接続できません。すべての周波数が使用不能になっているみたいです」

下の第一甲板では、ホロウィッツが首の付け根の痛いところをさすっていた。同僚からねだった弾倉を、腹立たしげにM４に叩き込んだ。カービンのほうは甲板に転がっているのが見つかったのだ。ずぶ濡れなのに喉が渇いているのに気づき、ホロウィッツはぼんやりと唇をなめた。ショックを受けるとそうなると、なにかで読んだことがあったが、おくびにも出すつもりはなかった。海に落ちたうえに、びくついているのを漏らしたら、ＳＥＡＬに挑戦する機会を棒にふるかもしれない。

ホロウィッツは、港内を見まわし、米海軍が結集して鋼鉄の壁をこしらえているのを眺めた。早く海に出て、何者か知らないが、こんなことをやったやつに仕返ししたかった。

そのとき、港の反対側に繋留されていた原子力空母〈エイブラハム・リンカーン〉が、水面から数メートル浮きあがったように見えた。重量約一〇万トンの軍艦が、魔法で空に持ちあげられたみたいだった。爆風の衝撃波で、ホロウィッツは隔壁に押し戻された。

よろよろと立ちあがったとき、ホロウィッツは口をぽかんとあけて見つめた。ニミッツ級空母の〈エイブラハム・リンカーン〉が水面に戻ったとき、オレンジ色の炎と黒煙が甲板から噴き出していた。艦首から三分の二ほどの部分の船体が裂けはじめるのを、ホロウィッツは見守った。

「なんてこった。原子炉があるあたりだ」と、ホロウィッツはつぶやいた。

ハワイ　ホノルル港　二十九号桟橋

どういうことだ？　荷降ろしは翌日のはずじゃなかったのか？

傾斜板《ランプ》がおりるのを最初に見たとき、ジェイコブ・サンダーズはタブレットを出して、船荷目録をあらためて確認した。〈ゴールデン・ウェーヴ〉は、全長二二〇メートル、リベリア船籍。RO・RO《ローロー》船で、上海から自動車を積んできた。通関手続きはあらかじめ終わらせているが、荷降ろしが二十四時間早い。おかげで一日が台無しになりそうだ。

近くの駐車場にある警備小屋に立っていても、二倍幅の金属製ランプが桟橋におりたときの衝撃が感じられた。ジェイコブはつねづね、ランプをおろしたりあげたりする馬鹿でかいRO・RO船は、船の上に倉庫型小売店の〈コストコ〉をそのまま載せたみたいに不細工だと思っていた。だが、それは感想にすぎない。自動車を五百五十台積めるし、自動車をおろすときには、ランプからそのまま駐車場へ自動車を走らせていける。そのあと、島のあちこちのディーラーに運転していくまで、そのまま駐車しておけばいい。

ジェイコブは無線で上司を呼び出そうとしたが、空電雑音が聞こえただけだった。首をふり、カシオG - ライドで日時をたしかめようと、目を下に向けた。思ったとおりだ。荷降ろしをはじめるのが早すぎる。さらに困ったことがあった。ウェブに接続できるその時計で、沖合のブイのデータの最新情報がわかっていた。サーフィンにうってつけの高いうねりが来る見込みがある。あとわずか五時間で、警備の仕事から解放され、ケワロスの海に戻れる。時計のデータどおりいい波がくれば、学歴がたいしたことがなくて、陸地で黒いポリエステルの制服を来ていることなどどうでもよくなるような、最高の一日を過ごせる。

遠くでズズーンという音が何度も響き、ジェイコブは時計から注意を引き戻された。警備小屋の薄い金属壁がふるえたので、床に伏せ、両腕で頭をかばった。数秒後に膝立ちになり、二十九号桟橋の近くの燃料備蓄基地のほうを、あいた戸口から覗き見た。火事は起きていない。青空に雷の気配もない。やがてまた桟橋が震動し、地響きみたいな低いうなりが伝わってきた。ちくしょう、津波が起きたら、ここで波に呑まれてしまう。

また遠いズズーンという音が、山にこだましたが、〈ゴールデン・ウェーヴ〉の船内で数百台のエンジンが始動すると、その轟音に押し流された。なにをやってるんだ？　地震を感じなかったのか？　まだ余震があるはずだ。

地震のときには戸口のなかにいたほうがいいという役所の指示を、ジェイコブは子供のころにテレビで見たことがあったが、小屋の薄っぺらな壁を見て、表に這い出した。またズズーンという音が響くのを感じ、〈ゴールデン・ウェーヴ〉の向こうに煙があがるのが目にはいったが、港の向こう側でなにが起きているのかは、巨大な船に隠れて見えなかった。

そのとき、新型の吉利汽車製のSUVが一台、ランプをおりてきた。つぎの地震の前に自動車をおろすつもりなのか？　しかし、どこにとめるつもりだろう？　船に乗せたままでやりすごすほうがいいのではないか。

SUVがつぎつぎとランプをおりてきて駐車するのを、ジェイコブは見守った。吉利はレンジローバー・デフィレードのデザインを盗んでいると、いつも思っていた。でも、ジェイコブにも買えそうなくらい安い。しかし、色はひどい。最初の十数台はまともなシルヴァーやブルーだった。しかし、あとは艶消しの褪せたようなグリーンだった。

そのとき、耳をつんざく甲高い音が聞こえた。なにかが鋼鉄の甲板をえぐっているような音だ。最後のSUVのうしろから、倒した電柱みたいに見えるものが、しだいに見えてきて、その端がランプの下を指した。電柱のうしろの巨大なグリーンの物体が、ランプの上に姿を現わし、斜め下を向いた。

くそ。あれは戦車だ。つづいて二両目の戦車が、ランプをおりてきた。さらに、戦車の小ぶりな弟みたいな八輪の車両が出てきた。

戦車に描かれている赤い星を、ジェイコブは見た。どうして中国の戦車がRO‐RO船からおりてくるんだ？　船荷目録にはそんなものは載っていなかった。だいいち、だれがそんなものを買う？　キャンプ・ショーフィールドで訓練か演習があるのかもしれない。

ジェイコブはあたりを見て、自分ひとりしかいないと気づいた。

そこでジェイコブは、携帯電話を出して、動画をとりはじめた。ビールを何杯かおごってもらうネタになるかもしれない。VIZネットで売れるかもしれない。

そのとき、ビール樽みたいなものが六つ、空に上昇し、繁華街の方角へ飛んでいった。

「無人機《ドローン》か？」ジェイコブはささやいた。

ずんぐりした形のピジョン無人偵察機は、たしかに五〇リットルのビール樽ほどの大きさで、下面に小さなローター収納部がある。六機とも、ホノルルでもっとも高い場所を見つけて着陸するために飛んでいった。非武装のピジョンは、そういう高みから電磁・デジタル信号を探知し、島全域におよぶ電子妨害を開始する。

そのとき、桟橋の上でべつのドーンという音が響いた。〈ゴールデン・ウェーヴ〉の先に繋留されていたべつのRO‐RO船、〈ヒルディ・マナー〉がランプをおろしたのだ。それも許可されていない。いずれも書類手続きがないし、駐車場はもうすぐいっぱいになる。戦車はもとより、一隻ではなく二隻分の自動車を収容するのは無理だ。

ジェイコブは腕をのばして携帯電話を持ち、無様な自撮りをしないといけないことをののしった。VIZグラスが買えないせいだ。

「ホノルル二十九号桟橋のジェイコブ・サンダーズ」ピンホール・カメラのレンズを見て、

ジェイコブはいった。「このとおり、無許可荷降ろしが行なわれてる。トラックと、吉利のSUVと、それからこれを見てくれ。中国軍の戦車だ！　きょうどんな演習があるのか知らないけど、みんなで調べにいこう。でも、こんなのを現実の生活で見られるなんて、信じられないだろう。おれもだ。ひきつづき見ててくれ」

ジェイコブは、一部始終を撮影できるように、警備小屋の窓枠に携帯電話を置いてから、無謀にも〈ゴールデン・ウェーヴ〉に近づこうとした。馬鹿な乗組員どもめ。手続きが済むまで埠頭から出てくるんじゃない。

栈橋と駐車場をつなぐ斜路までジェイコブが行ったときには、戦車のエンジンのパワーを文字どおり胸に感じていた。戦車は、斜路が頑丈かどうかをたしかめているみたいに、数メートルずつゆっくりと前進していた。

急な動きと、金属のぶつかる耳をつんざく音に、ジェイコブはさっと首をまわした。大きな金属板が何枚も、〈イヴニング・リザルヴ〉――ダーラン船籍の全長一四五メートルのコンテナ船――の舷側から、栈橋に投げ落とされていた。やがて、ミニチュアの空軍部隊が、〈イヴニング・リザルヴ〉の上で編隊を組んだ。ジェイコブの目には、そのクワッドコプター（四回転翼のヘリコプター型ドローン）が、いまだに戸外で結婚式をあげる馬鹿なハリウッド・スターを追いかけるのにパパラッチが使うスパイ・ドローンのように見えた。中国のV1000電気ドローンは、たしかに民間型と祖先はおなじだが、敏捷性とステルス性能が優れているため、アフリカや元インドネシア共和国で中国が隠密の〝リスク除去〟攻撃を行なう主力に使われている。

戦車がまたエンジンの回転をあげ、ジェイコブの注意を引き戻した。ジェイコブは右手をあげて、停止をもとめる万国共通の合図をした。

「とまれ！　この先は私有地だ。ただちに車両を停止させることを要求する」

先頭の戦車が速度を落とし、斜路の下で停止した。ジェイコブが見おろしているところから、三メートルも離れていない。ジェイコブは、この場を自分が取り仕切っていると確信して、見おろし、声を張りあげた。

「よし。さて、どういうことかは知らないが、方向転換し、船に戻れ……いますぐに」

エンジンが煙を吐き出し、戦車が不意にガクンと前進した。

携帯電話には勇敢さを示す場面のように映っていた。じつのところ、ジェイコブは、重さ六〇トンの怪物の通り道から必死で逃げることしか考えていなかった。だが、根が生えたように足が動かなかった。

チャールズ・カーライル大尉は、機付長にしびれを切らしかけていた。べつのいいかたをすれば、せっかくの楽園で、フィアンセよりも気難しいジェット機と一日を過ごすことになりそうだった。

Ｆ‐35ＢライトニングⅡ戦闘機でヘリコプターみたいに垂直着陸を行なうたびに、二五ミリ機関砲ポッドが、給弾不良を起こした。これで今週は四度目だが、だれにも原因がわからない。機体に故障を起こさせるちっちゃな魔物がいれば、自動整備コンピュータが指差すはずなのだが、インストール済みの二千四百万行のソフトウェアにコードを書き加えても、マーフィーの法則が毎回ムーアの法則を打ち負かすだけだった――テクノロジーがいくら進歩しても、故障はなくならないのだ。

「なんていえばいいのかわからないよ、蛆虫君《ワーム》」民間人機付長のミラーが、カーライルをコールサインで呼んだ。パイロット訓練のサバイバル・敵地脱出フェイズの最中に携帯口糧をなくし、幼虫を食べて生き延びなければならなかったために、カーライルはそういうコールサインを献上された。「この飛行機を設計したのはおれじゃない。おれはただ直すだけだ」

〝ワーム〟は首をふった。米海兵隊が世界でもっとも高価な兵装システムのコクピットに、世界でもっとも優秀なパイロットを乗せるいっぽうで、整備は入札がもっとも安い民間会社に任せることが、どうしても納得できなかった。

一兆五〇〇〇億ドルあれば、まともに弾丸が出る銃が買えるはずと、ワームはまた悪態をつきそうになったが、そのとき息を呑み、耳を澄ました。おかしい。腹に響く低いズンという音が、何度も聞こえた。つづいて、蜂の羽音みたいなローター音。パール・ハーバーの方角から、モカプ半島にある航空基地に近づいてくる。飛来するヘリコプターと小さなクワッドコプター・ドローンの編隊を見て、ワームの顔から血の気が引いた。

「燃料ホースをはずせ。早く!」ワームは叫んだ。

機付長がいい返そうとしたときに、ワームの視線を追って、編隊を見た。機付長のミラーはけっこうな歳のように見えるが、全長二四〇〇メートルの滑走路の反対側にある格納庫群に、最初のロケット弾の群れが命中するよりも早く、地面に伏せていた。

「ミラー、立て! 立て!」ワームは叫んだ。

ひれ伏したままで、ミラーはクワッドコプター四機が降下し、滑走路の端の無線塔を攻撃するのを見た。マイクロ・ロケット弾を一斉に発射する前に、V1000は機首を起こして編隊を組み、〇×ゲームの×だけをならべたみたいに見えた。

「よしやるぞ!」ミラーがいった。整備の腕は怪しいかもしれないが、勇敢なのはまちがいない、とワームは思った。

ふたりでF‐35から燃料ホースを引き離すときに、ミラーが息を切らしていった。

「中国かな？」

「どうでもいいだろうが」ワームはいった。「おれを乗せてくれれば、何機か落とすから、あんたがつつきまわして調べればいい」

クワッドコプター・ドローンの編隊が、基地の格納庫群を順序よく攻撃して、航空機を一機ずつ破壊しているのが見えた。その間ずっと、X字の編隊をまったく崩さないことが、いっそう恐ろしかった。海兵隊員数人がライフルでドローンを撃ったが、頭上からロケット弾を浴びせられて排除された。さいわい、ワームのF‐35Bは、かつての海兵隊装備のハリアーとおなじSTOVL（短距離離陸垂直着陸）機なので、殺戮地帯になっている滑走路に接近せずにすむ。胴体なかごろにシャフトドライブ・ファンがあり、さらに推力偏向ノズルを使って、ヘリコプターみたいに離昇でき、いったん離陸すればメイン・ジェットエンジンの一八〇〇キロニュートンの最大推力を発揮できる。

機体のなかごろにエンジンがあるため、海兵隊仕様のF‐35Bは積載重量が小さいという欠点があるが、ワームはどのみち軽い兵装で飛ぶことになる。ありがたいことに、実弾発射訓練の準備がしてあった。だが、悪いことに、近接航空支援の訓練なので、空対空ミサイルは模擬弾だし、機関砲ポッドは信頼できない。

ワームはコクピットに乗り、ミラーのほうを見おろした。カニの甲羅みたいに見える、ヘッドアップ・ディスプレイ・バイザー付きヘルメットに、顔の上半分が隠れていた。胴体を指差して、ワームはどなった。「機関砲は？　機関砲は？」

ミラーが梯子を昇っていって、コクピットに身を乗り出し、汗とジェット燃料の入り混じったにおいが鼻をつくまで、ワームに顔を近づけた。「作動不良《ジャミング》を起こすまで、百発ぐらいは撃てるだろう」と叫んだ。くそ、機関砲の発射速度からしたら、せいぜい三秒しか撃てない。

ワームは、コクピットにいくつもあるスクリーンをすばやく見て、飛行前チェックリストが自動的に進んでいるのを確認した。まともに機能している部分もあるわけだ。

ほんの一秒か二秒、ワームはフィアンセのことを考えた。いまごろはサーフィンでもやって、彼女の夢がいつも残していく暗いエネルギーを発散させているだろう。今夜、モアナ・サーフライダー・ホテルで会って、一杯飲む予定だった。どのバーにいるかは、教えられなかった。探さなければならない。そして、マイタイをゆっくり飲みながら、そこでどういう結婚式をあげようかと空想する。彼女の物語はお伽噺みたいな結末にすると、ワームは約束していた。

キャノピイが閉じるとともに、空想は打ち砕かれた。ワームは下の機付長に親指をさっと立てて見せ、言葉をひとつ唇に乗せた。

やり返す、と。

ハワイ　パール・ハーバー・ヒッカム統合基地　沿海域戦闘艦〈コロナド〉

近くの貨物船から発射された対戦車ロケット弾一発が、すぐそばに繋留されていた沿海域戦闘艦〈ガブリエル・ギフォーズ〉に命中した。無用の攻撃だった。〈ギフォーズ〉はすでに喫水線下の爆発で浸水していた。港内の米海軍軍艦のほとんどが、おなじ状態だった。

「ATHENAはまだつながらないのか？」ライリー艦長が叫んだ。自動脅威認識強化《ATHE》ネットワーク《NA》は、軍艦の神経系統のようなもので、米海軍が容認している範囲の人工知能ソフトウェアを用い、センサーとネットワーク接続の統合を図っている。この自動化された戦闘管理システムにより、〈コロナド〉のような限られた装備の艦でも、人間の乗組員には想像もできない速さで、ターゲットの追跡や他の部隊との協働が可能になった。

「もうすこしで準備できます」乗組員のひとりがいった。「まだ起動中です」

「早く目を醒まさせろ！　ターゲットを捕捉しろ！　本艦を護らなければならない」ライリーがいった。

「艦長、たとえ接続できても、ATHENAは港内では厄介なことになりますよ」シモンズがいった。

「もう厄介なことになっている」と、ライリーがいった。

「データが多すぎて、負担が大きすぎるかもしれない。ATHENAがクラッシュしたら、本艦のシステムもいっしょにクラッシュするかもしれない。射程が短すぎるから、同士討ちするかもしれない」シモンズはいった。「戦闘は乗組員にやらせましょう。乗組員を信頼して」

ライリーが横目で見た。他人の意見が正しいとわかっているときの癖だ。「名案だ、副長」ライリーがいった。「ATHENAに接続したら、監視モードにしておけ」

それにより、下着姿のライリー艦長は、これまでの半生ずっと憧れていた命令を下すことができた。「主砲、撃ちかたよし！　敵艦と交戦。おれたちを攻撃したやつらをやっつけろ」と叫んだ。

〈コロナド〉の五七ミリ単装砲が息を吹き返した。砲塔がまわり、非難する指先を左舷側に向けて、まだ残っているロケット弾の煙の条を目印に、港の反対側にいた中国の貨物船めがけて発砲した。

七発撃ったところで、主砲は射撃をやめた。ブリッジにいた乗組員は、現実をひしひしと感じた。小さな単装砲の重さ二キロ程度の砲弾では、第二次世界大戦の戦艦の倍もある排水量一〇万トンの大型貨物船に大きな被害をあたえることはできない。沿海域戦闘艦の主砲は、海賊を追い払うためのもので、たいした威力がないのだ。

　曳光弾がひらめきながら〈コロナド〉に向けて飛びはじめ、くだんの貨物船と港内の他の二隻から、黄色い線がのびてきた。〈コロナド〉の砲撃にはたいした効き目はなかったが、敵方の注意を惹いていた。大口径の機関銃弾が、〈コロナド〉の上部構造に食い込んで重い音が響いた。艦首繋船索を桟橋の索止め《クリート》から必死ではずそうとしていた水兵ひとりが、赤い血煙となって消滅した。

　シモンズは、ブリッジのあけ放った水密戸から双眼鏡で見た。双眼鏡を横に動かし、すばやく観察した。眉を曇らせた。各貨物船から小さなボートが発進しているのが見える。海軍の軍艦がすくなくとも四隻沈みかけ、あとの四隻に斬り込み隊とおぼしい者が群がっている。ヘリコプターのたぐいらしい、疾《と》く動いている黒い矢が、ミサイル駆逐艦〈ピンクニイ〉のブリッジに向けて、ロケット弾を一斉発射した。遠くでは、グリーンの装軌車両が、海岸線近くを走っている。味方ではないだろうと思った。双眼鏡をおろしたとき、ライリー艦長がヘッドセットに向けてどなるのが聞こえた。「だれか、繋船索を切れ！」

〈コロナド〉の前甲板には、だれもいなかった。繋船索を解こうとして撃ち倒された水兵ふたりの血痕が、甲板に残っていた。シモンズは顔をしかめた。殺戮地帯から艦を脱出させるには、乗組員すべての力を必要とする。

　艦首に近づいていたホロウィッツが、ブリッジを見あげた。Ｍ４カービンの五・五六ミリ弾が尽きて、近くの貨物船をM２４９軽機関銃で撃っている水兵に、弾薬を運んでいるところだった。

「やるぞ！」ホロウィッツは叫んだ。近くの通路に駆け込み、消火用斧をはずした。繋船索のほうへ走っていったが、血だまりで滑り、斧で掌を切った。思わず笑いがこみあげた。銃撃戦のさなかに自分で切り傷を負うというのが滑稽だった。

ホロウィッツは、銃弾を避けるために体を低くして、繋船索へ這っていった。そこまで行くと、さっと身を起こし、斧を頭の上にふりあげて、〈コロナド〉を桟橋につないでいるケヴラーを編んだ太いロープに叩きつけた。

たいした効果はなかった。編み糸が何本か切れただけだった。ホロウィッツは、何度も斧をふるった。じきに肩で息をして、腕が痛くなり、自分の耳鳴りのほかは、なにも聞こえなくなった。弾丸が一発、斧に当たったが、両手がしびれたにもかかわらず、ホロウィッツはしっかりと握っていた。

〈コロナド〉に搭載されているムカデ形のＳＡＦＦｉＲ（艦載消火ロボット）の一台が、近くで甲板に這いあがって、すぐさま被弾した。子供くらいの大きさのロボットは、遅延剤の雲を撒き散らし、海に転げ落ちた。「最後のひとふりだ」ホロウィッツはうめきながらそういった。「そうしたらここから逃げ出す」

ホロウィッツには、桟橋を見おろす坂の上で角を曲がってきた中国軍のＰＧＺ‐07自走高射機関砲が見えていなかった。空になにもターゲットがなかったので、PGZ‐07は連装三五ミリ機関砲を、港内の米艦に向けていた。いちばん近かったのが〈コロナド〉だった。

「くそ」ずたずたになったホロウィッツの死体が、もんどりうって海に落ちるのを見て、シモンズはつぶやいた。

「ターゲット、右舷。あの野郎を吹っ飛ばせ！　おれたちを撃ってる」ライリー艦長がどなった。

〈コロナド〉の五七ミリ単装砲が、貨物船から筒先をそらし、砲手がジョイスティックを操作して、精いっぱいの速さで自走高射機関砲に狙いをつけ直した。排水量一〇万トンの貨物船にはほとんど被害をあたえられなかった五七ミリ主砲が、重量二二トンで装甲の薄いPGZ‐07を簡単に引き裂いて爆発させ、背後の建物に向けて燃える破片が飛び散った。

シモンズは指揮モードで、ヘッドセットで乗組員の声を聞くのと指示を出すのを、半々にやっていた。叫び声を聞き、加熱したり損壊したりした装備について冷静に報告した。重圧を受けても乗組員は申し分なく働いていた。これまでずっと過酷なまでに鍛えてきた甲斐があった。

「出航しないと、艦長。繋船索はだいたい切れたし」シモンズはいった。

「副長がそういってるぞ。ここから逃げ出せ」ライリー艦長がいった。

シモンズは、艦長の声に、偽りの自信を聞きとった。火の手があがっている港を脱出するには、戦って切り抜けるしかないと、ふたりは承知していた。

突然のブーンという音に、ブリッジにいた全員が首をすくめた。クワッドコプター一機がブリッジの窓の真正面に現われ、入口を探しているスズメバチみたいに、落ち着かないそぶりでホヴァリングしていた。

Mk110五七ミリ主砲が邀撃《ようげき》しようとしたが、V1000クワッドコプターは射界の内側でホヴァリングし、フェイントをかけ、かわしていた。砲手が狙い撃とうとしてジョイスティックをあわただしく動かし、砲塔がぎくしゃくと動いていた。

徹甲フレシェット弾を充塡したマイクロ・ロケット弾（ダーツ型の散弾が仕込まれている）がいまにも発射されるだろうと思い、ブリッジの乗組員は凍りついた。V1000が機首を起こして離れ、ロケット・ポッドが空なのがちらりと見えた。V1000はすぐに上昇し、視界から消えた。

雷に打たれるのをきわどいところでまぬがれたとでもいうように、乗組員たちは顔を見合わせた。そのとき、またクワッドコプターが一機、一〇〇メートルほど離れたところに現われ、長い倉庫ふた棟のあいだを降下してきた。また上昇して、港内でガス爆発が起きたと報告されている事件を撮影するために到着した、KITVチャンネル4のヘリコプターに向かった。V1000がTY‐90空対空ミサイル一発を発射し、ミサイルは最大速度のマッハ2に達するはるか前に、ヘリコプターに命中した。

艦首の格納式スラスターによって、〈コロナド〉は徐々に栈橋を離れ、やがて主推進機補助兵曹のステープルトンが、ジョイスティックをそっと動かした。最低負荷運転だった主機が回転をあげて、〈コロナド〉は轟然とうなり、ウォータージェットが港の水面をかき乱した。最後のケヴラーの繋船索がほぐれはじめ、鋭い音とともに切れた。速力を増したとき、対戦車ミサイルが一発、貨物船から発射され、ヘリコプター格納庫内で爆発した。上部構造にゴミ収集車が激突したような衝撃が感じられたが、〈コロナド〉は動きつづけた。

シモンズが通信ステーションに目を向けたとき、重機関銃から発射された弾丸が〈コロナド〉のアルミの船体を貫通し、通信兵曹をずたずたにした。火花と血が一瞬にして混じり合った。また銃撃がブリッジを襲った。荒波に耐える窓も、徹甲弾を跳ね返すことはできず、吹っ飛んだ。シモンズは甲板に伏せて頭を覆った。金属の破片が四方に降り注いだ。

シモンズが目をあけると、ライリー艦長がそばにいるのが目にはいった。伏せておらず、上半身を起こして、ハチの巣になった艦長席にもたれている。シャツが血まみれで、まわりの甲板に血だまりができていた。

連射された銃弾が、ふたたび艦長席を襲った。シモンズは血相を変えて、だれが操艦しているのかを見届けようとした。だれもやっていない。ステープルトンは操舵席の横にくずおれている。しかも、〈コロナド〉は、港の反対側に向けて、ゆっくりと漂っていた。機能している3D戦闘ディスプレイは、一面だけだった。ATHENAシステムが、ブリッジの大混乱を断片的に表示している。

「操舵！　だれか操艦しろ！」シモンズはどなった。

　ジェファソンが操舵席へ走っていって、ジョイスティックを押した。乗組員が嫌がる演習をシモンズは数多くやっていたが、そのひとつが、ブリッジに詰める乗組員はだれでも他の乗組員の持ち場を代われるようにするための訓練だった。万一に備えたのだ。

　ライリーが、肘をついて体を起こそうとしたが、またずるずるともたれた。シモンズはそばにしゃがんで、ライリーのシャツを引き裂いたが、それからなにをすればいいのか、まったくわからなかった。胸全体がぐちゃぐちゃで血にまみれ、心臓が脈打つたびにグレーの甲板に生命がこぼれ落ちていった。

「きみが操艦するんだ……シモンズ艦長」かすかな笑みを浮かべて、ライリーがいった。

　衛生兵曹のディラン・コーテが、ブリッジに駆け込んだが、血で足を滑らせた。四つん這いでライリーのそばへ行き、シモンズを押しのけた。

　コーテが出血をとめようとしているあいだに、シモンズは用心深く起きあがり、操舵席のジェファソンのうしろに立った。艦長席にはギザギザの穴がいくつもあいていたし、いまはまだ、そこに座る気にはなれなかった。

ワームは、離陸するとすぐにF‐35Bを左に大きくバンクさせた。F‐35Bがなめらかに前進飛行モードに移り、飛行学校で教わったように、ワームはすこしでも状況を把握しようとした。

AN／AAQ‐37電子・光学分散開口システムが、機体のあちこちにある赤外線カメラのデータをヘルメットに送り込んでいた。これにより、ワームは機体を透かして下を〝見る〟こともできる。見えたのは大混乱だった。カリフォルニアのシェラネヴァダ山脈での訓練任務で、山火事のなかを飛んだことがあった。しかし、このほうがずっとひどい。空中の煙と残骸が、渦巻く闇をこしらえ、ところどころから明るい太陽が覗いている。煙のなかで中国のドローンが矢のように低空を飛び、地表では海兵隊のヘリコプターとワームの飛行隊の戦闘機の破片が、パズルのピースみたいに散らばっていた。ワームは上空と周囲の空に視線を走らせ、怖れていたとおりであることを確認した。飛んでいる米軍のジェット機は、ワームのF‐35Bだけだった。

ワームは、愛機のそのほかのシステムを点検しはじめた。無線機からはなにも聞こえない。

ＧＰＳと連動する慣性航法装置は狂っていて、オアフ島の上空にいるのはまちがいないのに、マウイ島の上を飛んでいることになっていた。電子的にこしらえた偽のターゲットが、水平状況表示装置（ＨＳＤ）にちらりと現われて、すぐに消えた。新鋭のソフトウェア・システムと数百万行のコードによって、Ｆ‐35Ｂはみずから副操縦士の役割を果たすよう設計されていて、戦闘中の自動化と状況判断はいまだかつてなかったほど優れている。ところが、この瞬間、電子システムはかえって障害になっているると、ワームは気づいた。

海兵隊の搭乗員たちは、何世代にもわたって銃と度胸で飛んできたのだ、と自分にいい聞かせた。おれにもできるはずだ。

飛行場の隅近くで、中国の小さなクワッドコプターが発砲しているのが目にはいった。駐機していたＭＶ‐22オスプレイ・ティルトローター機を機銃掃射している。まず右主翼が曲がり、巨大なエンジンが地面に落ちて、不格好な機体が傾いた。

ワームは片手でＦ‐35Ｂの接近速度を落とし、もういっぽうの手で目の前のタッチパネルを操作し、クワッドコプターを照準に捉えた。そのとき、その女が見えた。

距離があっても、昂然と立ち向かっているのが見てとれた。ワームはヘルメットの光学システムを使って映像を拡大し、ディスプレイに二重映しされているスクリーンの画像のなかに、その画像を置いた。女性海兵隊員が、オスプレイを掃射しているクワッドコプターを拳銃で撃っていた。足を踏ん張って立ち、狙いを安定させるために、まだ煙を吐いているエンようとした。

女性海兵隊員がフライト・スーツのパウチから弾倉を抜いたとき、クワッドコプターが地上すれすれに降下し、旋回して彼女のほうへまわっていった。女性海兵隊員もまわった。薬室に初弾を送り込み、拳銃を構えるのを、ワームは見た。F‐35Bの機関砲の発射手順が速まるよう、ワームは念力をかけた。

女性海兵隊員が発砲し、残骸の向こう側へ逃れて、それをクワッドコプターに対する楯にしようとした。まるで命懸けの椅子取りゲームだった。と、大破したオスプレイからこぼれたオイルが溜まっているところで、彼女が足を滑らせ、どさりと倒れた。拳銃が数メートル先に滑っていった。

「くそ！」ワームは叫んだ。

機関砲ポッドのアイコンが赤に変わった。発射準備よし。

ワームは姿勢をわずかに変えて、機関砲の照準を合わせようとした。だが、そのときクワッドコプターが不意に上昇した。駆け引きのコツを憶え、倒れている女性海兵隊員を上から撃とうと決めたのだ。

ワームは、推力偏向ノズルを使って、F‐35Bをわずかに上昇させた。まるで空中でダンスを踊っているみたいだった。機関砲ポッドの狙いを定めるために機動を行なっているとき、拳銃に向けて這っている女性海兵隊員がヘルメットのディスプレイに映っていた。すぐそばにF‐35Bの残骸があり、くすぶっているその主翼の下に、拳銃がはさまっていた。うひゃあ、なんて勇敢なんだ、とワームは思った。

ワームの指は、すでに引き金にかかっていたので、軽く押し下げた。弾丸が放たれると、機体が不規則に振動した。クワッドコプターが撃ちはじめると同時に、F‐35Bが射撃を開始し、訓練弾が滑走路に縫い目をこしらえてクワッドコプターに達した。ヘルメットの画像が溶解して炸裂する煙と炎になり、クワッドコプターが燃えているオスプレイの残骸のなかに落下した。

彼女はどこだ？

ヘッドセットが、不意にワームに吠えかかった。ひらめく色彩が踊りながらディスプレイを横切った。まちがいなくレーダー警戒受信機が警報を発していた。防空レーダーに追跡されている。

データ表示によれば、ワームのF‐35Bを捉えているレーダーは、米軍のシステムではなく、H‐250フェーズドアレイ・レーダー――中国軍の自走対空ミサイル発射機が使用している改良型だ。

「えい、くそ」ワームはいった。「嘘だろう」

フライト・スーツの下で汗ばんでいるのに背すじが寒くなったのは、撃墜されるおそれがあるからではなかった。戦況が思ったよりもさらに悪いことを示していたからだ。敵はどうやったのか、すでに主力地上部隊を上陸させている。

〈ゴールデン・ウェーヴ〉と〈ヒルディ・マナー〉から出てきた中国軍の装甲車縦隊は、駐車場の自動車を押しのけて通り、二十九号桟橋をあとにしていた。そして、ふた手に分かれ、それぞれべつの方角へ向かった。九九型戦車と支援車両の一個縦隊は、ホノルル国際空港でハーモニー航空のエアバスA380三機から降機したばかりの、中国軍空挺部隊と合流するために、高速で移動していた。もう一個の機甲縦隊は、ホノルルの街を出るノース・ニミッツ・ハイウェイに乗っていた。

上空から見たワームには、その縦隊がどこを目指しているのかが、わかっていた。

パール・ハーバー奪取にも歴史的価値はあるが、キャンプH・M・スミスは最高の獲物だ。太平洋コマンドの司令部には、侵攻部隊を撃退する機能はなく、平時の軍の官僚機構を収容するように作られている。警備の海兵隊は弾薬が尽きるまで戦うはずだと、ワームは確信していた。しかし、戦車部隊を阻止することはできない。そうなると、太平洋全体の指揮統制の中枢が……なんといえばいい？　敵の手に落ちるというのが、正しい表現なのか？　とうてい理解しがたい。

ワームは、兵装の現況を再確認した。残弾は七十一発。

F‐35Bを降下させて、低空で滑走路を横切った。航過するときにオスプレイの残骸が見え、そのうしろから人影が頭を出すのが目に留まった。女性海兵隊員が手をふった。あっぱれな戦士だ。

「海兵隊はここから脱出しなければならない」ワームは、気づくとまた愛機を相手にしゃべっていた。恐怖を封じ込めなければならないときには、いつもそうなる。

中国軍のZ‐10〝霹靂火《ピーリーフォ》〟攻撃ヘリコプター一機が、滑走路に向けて飛んでいるのを、F‐35Bの水平状況表示装置が捉えた。Z‐10はじきに女性海兵隊員の位置をつかむだろうし、彼女は攻撃ヘリを拳銃で撃つような無鉄砲をやりかねない。海兵隊の仲間が自分を必要としているし、海兵隊員を置き去りにしてはならないと、訓練以来ずっと叩き込まれている。

しかし、キャンプ・スミスを目指している敵部隊がいる。戦車を完全に破壊できるような兵装はなく、残弾もすくないが、低空で何度か航過すれば、縦隊を立ち往生させることができるかもしれない。指揮車か戦闘の戦車を攻撃してもいい。

ワームはゆっくりとF‐35Bを上昇させて、答を見つけるとともに、機銃掃射のときの速度を増すために、高度を五〇〇フィート上げた。

選択肢ははっきりしていた。どちらを選べばいいのかが、定かでなかった。

太平洋　P‐8哨戒機

「ジャミングが多すぎる。データ供給を切れ」ビル・〝スウィーティ〟・ダーリン中佐が命じた。「戦争全体ではなく、フォックスグラヴ2だけに集中しよう」

〝戦争〟という言葉をあっさりと口にしたことが、ダーリンには信じられなかった。まさに戦争なのだ。アメリカは太平洋で戦争中で、他の地域でもそうなのだろうと、ダーリンは想定した。そして、戦争突入の数分後には、なにが厄介な問題であるかが、すでにわかっていた。まるで消火ホースからどっと噴出する水のようなデータをふるいにかけて、役に立つデータを抜き出すのが、容易ではなかった。

「わかりました」通信担当のハマー飛行兵曹がいった。「ジャミングがおさまったら戻します」

ダーリンのP‐8哨戒機は、米海軍艦隊から九〇海里離れたところで索敵していた。フォックスグラヴ2は、付近のどこかにいる〇九三A型潜水艦一隻に割りふった呼び名だった。パール・ハーバー攻撃が行なわれているが、ダーリンとP‐8の搭乗員の任務は、ふだんの哨戒となにも変わらない。下手人を発見して裁きにかけることだ。この潜水艦は、二日前から空母〈ジョージ・H・W・ブッシュ〉を尾行していた。きのうまでは飛行作戦に刺激をあたえる、厄介な存在にすぎなかった。いまは直接の脅威になっているから、数分のあいだに撃沈しなければならない。さもないと、乗組員四千人の巨大空母を護るのに失敗したことを一生背負っていくはめになる。

さいわい、ダーリンの搭乗員たちには、中国の潜水艦を狩る手伝いがいた。ヴァージニア級攻撃型原潜〈ジョン・ウォーナー〉が、〇九三A型を空母打撃群から遠ざけて、P‐8のソノブイ哨戒線に追い込んでいた。ソノブイの探信で捉えれば、敵潜は終わりだ。

主戦闘ネットワーク・データ通信の音が、ジャミングでひずみ、ヘッドセットからけたたましく響いた。

「ちくしょう、ハマー。切れ――」ダーリンはいった。

べつの声がさえぎった。「聴音効果。ソノブイがフォクスグラヴ2を探知」センサー・システムを操作する搭乗員ふたりのうちのひとり、ハイドがいった。「打撃群から遠ざかる針路をとっています。速力一二ノット」

ダーリンは、P‐8の機首を下げて、水面に近づき、スロットルを押して機体を傾けると、目の前の画面に投影された邀撃点に向けて飛ばした。敵潜を攻撃できるところまでの秒数を搭乗員がカウントダウンし、速度が五〇〇ノット近くまでじりじりとあがっていた。

「高度五〇〇フィートでMk《マーク》54魚雷投下します――」副操縦士のファング・トゥリーホーン

がいった。

「敵ミサイル襲来、敵ミサイル襲来。ストーンフィッシュが〈ブッシュ〉に襲来」もうひとりのセンサー・オペレーター、ジーキルが、口を挟んだ。「NSA（国家安全保障局）のハッカーが、こういうミサイルが発射される前に機能不全にできるはずじゃなかったの」

水平線近くで、〈ブッシュ〉の周囲から、かすかな白い茎のようなものが空に向けてのびていった。艦隊防御システムが、大気圏に再突入したストーンフィッシュ弾道ミサイルを邀撃するよう設計された、RIM-161スタンダード・ミサイル3（SM-3）数十基を発射しているのだ。

「〈ブッシュ〉のATHENAによれば、二十六基が来襲します。SAMが反撃しています」

ミサイルの戦いを、ジーキルが実況中継した。

「Mk54投下」ファングがいった。Mk54魚雷が投下されると、機体がかすかに浮き、眼下の水面で魚雷が水飛沫をあげた。スクリューが早くも回転して、敵潜めがけて航走を開始した。

ヘッドセットから聞こえる防空通信が、不意に聞きとれるようになったが、すぐにまたひずんだ音声に戻った。ファングが双眼鏡を持ち、空母と護衛艦めがけて弧を描いている弾道ミサイルを迎え撃つために空に昇ってゆく防空ミサイルを追おうとした。

「どこから飛んできたんだろう？」ファングがいった。

「中国」ダーリンがいった。

「それはわかり切ってる」ファングがいった。「奇襲攻撃には、ほかにも不意打ちの要素があるかもしれない。核だと思いますか？」

「いや。核ミサイルなら、一基発射すればすむ」

「ストーンフィッシュが、十五秒で弾着ですよ～」ジーキルが、ストレスを感じているのを隠そうとして、間延びしたいいかたでいった。

「Ｍｋ54弾着。フォックスグラヴ２撃沈」ハイドがいった。

「弾着まで十秒」ジーキルがいった。

「ソノブイの作業をつづけろ、ハイド」ダーリンはいった。敵潜を撃沈したのに、達成感はなかった。〇九三型は、結局、おもな脅威ではなかったのだ。不満よりもひどかった――役に立たないと感じた。この瞬間、自分の機と乗組員にはなにもできない。

「待って、一基発見――おい、かなり近い」ファングが双眼鏡を覗いたままでいった。「あ、来た……海に落ちた」

「くそ、ターゲットから九〇海里ずれてるぞ。ひどい誤差だな」ダーリンはいった。「ストーンフィッシュは、そんなに恐ろしいものじゃないのかもしれない」

ファングは、なおも双眼鏡でじっと観察していた。

「ファング？」

水平線で閃光がまたたき、ダーリンにその答がわかった。

「弾着……弾着、弾着」ジーキルが報告した。

爆発からだいぶ遠く離れていることに、ダーリンはほっとしたが、すぐにうしろめたい気分になった。

「〈ジョン・ウォーナー〉を呼び出せ」ダーリンはいった。「回収にどういう支援が必要かをきくんだ。打撃群の周囲にソノブイ周辺防御を敷く必要がある」

「〈ストックデイル〉からATHENAの最新データがはいりました」ジーキルが報告した。ミサイル駆逐艦〈ストックデイル〉は、護衛艦のうちの一隻だ。「われわれが目視したものを確認しています。ストーンフィッシュがすくなくとも三基、〈ブッシュ〉に弾着。〈ブッシュ〉は現在、オフラインになっています」

「〈ジョン・ウォーナー〉を呼び出せません」ハマーがいった。「GPSがまたオフラインです」

「操縦席もおなじだ。〈ウォーナー〉の最終位置を確認中」ダーリンはいった。ヘルメットをいじくって、こっそりと涙を拭っているファングのほうを、見ないようにした。

P‐8にバンクをかけて旋回させたとき、ダーリンは眼下の水面になにかがあるのを見つけた。目を凝らし、見えるように高度を下げた。ディスプレイの画面に残骸がはっきりと映っているにもかかわらず、ファングがまた双眼鏡を目に当てた。

「打撃群からだいぶ離れているから、〈ブッシュ〉や護衛艦じゃない」ダーリンはいった。

「あれはなんだ？　中国の潜水艦か？」

「いや、フォックスグラヴの最終位置は、こっちの座標だった」ファングが、ディスプレイを指差していった。

「まずい」ジーキルが、落ち着かないそぶりで、膝を叩いた。「ここはさっき見たストーンフィッシュの弾着点ですよ。はずれじゃなかった。あれは〈ジョン・ウォーナー〉の残骸です」

ハワイ　カネオヘ湾　海兵隊基地

Ｆ‐35Ｂが機首をあげて、宙返りしながらバレルロールを打ち、ワームは機体下面を透かして空を最後にもう一度確認した。

七十一発。姿勢が細かく調整されるのを感じながら、ワームはターゲットを指定した。弧を描いてオスプレイの残骸のほうへ降下するとき、果敢な女性海兵隊員が身を起こして駆けだすのが見えた。

あと七十一発。

女性海兵隊員から一〇〇メートルほど離れた煙をあげている格納庫を、Ｚ‐10が機銃掃射していた。クワッドコプター一機が彼女に気づき、猛スピードで接近し、ホヴァリングしてヘリコプターを呼び寄せた。ワームはＦ‐35Ｂの機首を下げ、スロットルをゆるやかに押した。そっと調整しながら旋回を脱して、ヘルメット内蔵の照準目盛《ピパー》をＺ‐10に重ねた。ターゲットを捉えたままにするために、Ｇをわずかにゆるめ、引き金を絞った。

Ｆ‐35Ｂの機関砲が発射した最初の連射は、Ｚ‐10の上にそれて、その先の滑走路を打ち砕いた。

あと四十七発。

女性海兵隊員は、背後の空を引き裂く音をふりかえりもせず、さらに速く走っていた。

ワームはさきほどよりも長い連射を放ち、機体が音叉みたいに細かく振動した。Ｚ‐10がぐらりと傾き、まっぷたつに裂けて、炎と残骸をほとんど完璧な円形に撒き散らした。降下をとめるためにワームがスティックを引くと、胴体が抗議してうめいた。

走っていた女性海兵隊員の姿は、どこにも見えなかった。逃げることができたのだ。最初の任務は果たした。海兵隊員を置き去りにしなかった。

ワームは、スロットル・レバーを奥まで押し込み、直線飛行でキャンプＨ・Ｍ・スミスに向けてめいっぱい加速した。アメリカの空軍力が頭上にあれば、中国軍の機甲縦隊は考え直し、べつの攻撃目標に行き先を変えるかもしれない。ほかにはなにもできなかった。機関砲弾は使い果たした。着陸して再装塡することもできない。中国軍の車両縦隊をできるだけ長いあいだ擾乱《じょうらん》し、北の公園の付近で射出するしかない。

F‐35が加速して遠ざかるとき、ロボット・クワッドコプターが向きを変えて、空対空ミサイル一基を発射した。それから、さも楽しげに、駐機場にならぶオスプレイを破壊するという本来の仕事に戻った。

ワームの耳に警報音が届く前に、F‐35BのAN／ASQ‐239バラクーダ・システムが、自動的に作動した。主翼の縁に埋め込まれた小さなアンテナ十個が、敵ミサイルのレーダーを追跡しはじめた。ワームのバイザーに、それが撃ち放し式のTY‐90ミサイルであることが表示された。つまり、親玉のロボットがべつのことに注意を向けても、脅威でありつづける。ミサイルが自動誘導を開始していたので、ワームはF‐35Bを右に急旋回させ、基地のはずれのウルパウ火口に向けた。休火山のまわりではレーダー波が乱反射する。そこにまぎれ込もうとしたのだ。ドローンに撃墜された最初の海兵隊パイロットになるのは、まっぴらごめんだと思った。

だが、ワームの悲運は、数カ月前に定まっていた。整備中にマイクロチップの一部が交換されていた。航空電子機器《エヴィオニクス》からガンカメラに至るまで、あらゆるものを動かす数千個のマイクロチップが詰まっている航空機では、なにもめずらしいことではない。

初期のコンピュータや一九六〇年代のジェット機に使われていた最初のマイクロチップは、

構成部分がすべて肉眼で見えた。だが、二十一世紀になると、マイクロチップは平方ミリ単位の範囲に数百万のトランジスターが仕込まれるようになった。さらに、個々のマイクロチップが、それぞれにべつの機能を果たす、ブロックと呼ばれる複数のサブユニットに分かれている。たとえば、ワームのF‐35Bのガンカメラのマイクロチップには、スマートフォンに内蔵のマイクロチップとおなじように、動画を保存する機能や、ファイルを書き換える機能がある。

マイクロチップ産業が飛躍的に拡大すると、ひと握りしかなかった会社の数が、二千社以上になり、そのほとんどが中国企業だった。各社が新しい設計のマイクロチップを毎年五千種類以上も製造する。この設計には世界各地の数千人がかかわる。各チームがそれぞれべつのブロックを開発し、ときにはゼロから創りあげることもある。第三者の特化したエンジニアから設計を買うこともある。また、このブロックの設計はそれぞれ、数百万種類のマイクロチップに組み込まれ、そういうマイクロチップが、トースターからトマホーク・ミサイルに至る、ありとあらゆるものに使われる。

その結果、きわめて危険な組み合わせが生じる。マイクロチップが複雑になりすぎたため、各部分がじっさいにどう機能するかが、ひとりのエンジニアやひとつのチームにはわからない。設計プロセスが広範囲にひろがるので、関係した人間をすべて吟味することができない。それに、膨大な数のマイクロチップが製造され、購入されるので、数パーセントをテストすることもできない。だから、アメリカの国防産業も含めた買い手は、テストすることをはなからあきらめている。効率がつねに安全保障をしのいでいる。

国防アナリストたちは、だいぶ前からキル・スイッチ——コマンドひとつでコンピュータ全体をシャットダウンするマイクロチップ——という着想を不安視していた。だが、ワームのF-35Bでは、まったく逆のことが起きた。十二個のマイクロチップそれぞれの一ブロックで、小さなテクノロジーが目醒めた。

F-35Bは、金属製の拳くらいにレーダー・シグネチュア（レーダー断面積など、レーダーに捕捉されやすい物理的要素）を縮小するような形状と素材に護られている。だが、中国軍の空対空ミサイルがその機体を照射したとき、ワームのヘルメット・ディスプレイ・システムと飛行制御システムを接続するマイクロチップ十二個それぞれの第九ブロックに隠された、小さなアンテナが作動した。たとえヘルメットのメーカーが、マイクロチップを購入したときに安全検査をしていたとしても、見つからなかったはずだった。アンテナは一平方ミリの範囲に隠され、顕微鏡でなければ見えない大きさだし、飛来するミサイルの特定の周波数のみによって作動する。アンテナ自体もわずかなエネルギーを発するので、双方の機能が相まって、実質的に自動誘導信号を発しているのとおなじ効果がある。

ワームが加速して遠ざかると、ミサイルはその信号を捕捉し、追尾した。

ミサイルのレーダーから身を隠そうとして、ワームはウルパウ火口の窪みに向けて急降下した。大きなGがかかって座席に押しつけられ、うめいてから、激しい回避機動を行なった。それでふり切れるはずだった。だが、きょうはなにをやっても効果がなかった。ミサイルは、どんな動きにも追随してきた。

最後の瞬間、ワームは三十一歳の誕生日にフィアンセがプレゼントしてくれた腕時計をちらりと見た。ブライトリング・アグレッサー・デジタル・クロノグラフ。そうやって最後にもう一度、彼女のことを考えると同時に、まるで医師のように臨終の時刻を知った。

ミサイルは、追尾しやすい信号に線路に乗るように乗り、F‐35Bの横腹に激突した。まっぷたつになった戦闘機は、太平洋へ転げ落ちていった。

ハワイ　パール・ハーバー‐ヒッカム統合基地　沿海域戦闘艦〈コロナド〉

これからは一瞬一瞬がふたつにひとつの結果を生む、シモンズにはそれがわかっていた。勝つか、負けるか。生きるか、死ぬか。

〈コロナド〉が桟橋から離れるとき、壊れた窓やアルミの上部構造にあいた穴から、新鮮な空気が流れ込んできた。だが、中国軍のヘリコプターやドローンが、空を飛びまわっている。ヘリコプター一機が、たったいま〈ボクサー〉の格納庫甲板を急降下爆撃した。第一五海兵遠征隊に属する強襲揚陸艦〈ボクサー〉は、噴きあがる炎に包まれ、その向こうに繋留されていた船に火が移った。輸送艦のようだが、シモンズには識別できなかった。

チェーンソーのような騒音が聞こえて、黄色い曳光弾の条が一本、〈コロナド〉から弧を描き、シモンズの注意を呼び醒ました。Mk110単装砲が、射線に舞い降りてきた小型の偵察ドローンと交戦していた。

繋留所から離れている米艦は、一隻も見当たらなかった。それでよけいに〈コロナド〉は、目につくターゲットになっていた。

「全速前進。二五ノットまで出せ」シモンズは命じた。「アリゾナ記念館を通過したら四〇ノットに加速、そのあと水道を出たら、全速力だ。どうなってもかまわないから、精いっぱいの速さで突っ走れ」

「アイ、艦長」ジェファソンが、ためらわずそういった。よくできた男だ。ふつうなら、全長一二七・二メートルの軍艦が港内で無鉄砲な速力を出せば、ひどい衝突事故か座礁を引き起こす。軍法会議にかけられることは、いうまでもない。だが、いまは港の狭い殺戮地帯から脱出することが、なによりも重要だ。

〈コロナド〉がガクンと前に動き、一瞬、トリマランの三船体それぞれが、上部構造とは異なる速度で動いているように感じられた。シモンズは、船体がバラバラにならないことを願った。ロケット弾を何発も食らい、REMUSが船体にぶつかっているから、どれほどの損害があるのか、見当がつかない。エンジンの推力によって艦尾が沈み込む現象が起き、子供が自転車でウィリー走行をやっているみたいに、艦首のほうが高くなった。だが、太平洋艦隊の巨艦のくすぶっている残骸や、アリゾナ記念館とミズーリ記念館のかたわらを通るにつれて、加速して水平面に乗り、前後の釣り合いを取り戻した。最初に攻撃を受けた艦はすでに沈没し、つぎの艦もまもなく沈没しそうだった。〈コロナド〉は、中国の貨物船一隻を障害物なしに砲撃できる位置を通ったが、シモンズはかまわずに先を急いだ。〈コロナド〉はたしかに俊足だが、高速航行中は主砲が大きく揺れるという設計上の欠陥があるので、撃ってもしかたがない。

〈コロナド〉が、湾内の曲がりくねった水道を通りながら加速していたとき、タイコンデロガ級イージス巡洋艦〈レイク・エリー〉の弾薬庫そのものが爆発した。衝撃波で〈コロナド〉が縦揺れし、船体が水没しそうになったが、乗り心地制御《ライド・コントロール》システムが自動的に姿勢を修正した。だが、ウォータージェットの助けで速力があがり、四〇ノットで〈コロナド〉は港を脱し、三〇メートルうしろに落ちた中国の最後のＲＰＧ（ロケット推進擲弾）を尻目に、ぐんぐん離れていった。

「ＡＴＨＥＮＡ、損害は？　乗組員現況報告」シモンズは、指揮ヘッドセットに向かってどなった。

「艦内シス……全……故障」コンピュータが答えた。「パール……戦術……接続……オフ

「……」

「なんだと？　コルテス、損害と乗組員の現況報告」ブリッジに吹き込む風の音に負けないように、両手をメガホンのように口に当てて、シモンズはいった。

先任順位により自動的に副長になったＴＡＯ（戦術アクション長）（艦長に直属し、戦術行使・防御をすべて掌握し、戦闘システムの保全と適切な運用に責任を持つ職務。海上自衛隊では哨戒長と呼ばれる）のホレイショ・コルテス大尉が、目を向けてうなずいた。海軍士官学校で水球の選手だったコルテスは、上官の目をまっすぐに覗き込んでいた。恐怖のためではなく、無礼な行為でもなかった。戦術ＶＩＺグラスに映し出されているデータに目を凝らしているにすぎない。左のレンズには血に染まった指紋がついていたが、データの流れは見ることができた。

「ＡＴＨＥＮＡはいまも艦をモニターしていますが、通信ハードウェアのどこかに損害が生じています。上部構造は――ごらんのありさまです。ディーゼル機関一基に冷却水漏れがあるので、じきに速力を落とさなければならないでしょう。艦首区画は浸水三〇センチですが、制御されています。主砲の弾薬はあと十五発。射撃指揮装置は信頼できません。通信は依然として使用不能」コルテスが報告した。

「死傷者は？」艦長席に目を向けて、シモンズはいった。〈コロナド〉はもとから乗組員がすくない。効率重視という考えかたによる。平時にぎりぎりの人数の当直に穴があくのは、頭痛の種にすぎないが、戦時だと、人員不足が艦と全乗組員にとって致命的な結果を引き起こしかねない。

「ATHENAによればKIA（戦闘中死亡）は十二人」コルテスが報告した。「負傷者十一人」

「ちくしょう」シモンズはつぶやき、ヘッドセットのマイクが生きているのに気づいて、あわててスイッチを切った。

「どこへ行きますか？」ジェファソンがきいた。ジェファソンの頭のてっぺんがどす黒く濡れているのに、シモンズは気づいたが、本人の血かどうかはわからなかった。

「すみませんが」ほかのだれかがきいた。

これからどうする？　指揮とはこういうものだと、父親がいっていた。質問の流れがとどまるところを知らない。シモンズはさっとふりむいた。コーテ衛生兵曹だった。しまった、ライリー艦長のことをすっかり忘れていた。そのときコーテの顔を見て、もうそれはどうでもよくなったと知った。

「ちょっといいですか」コーテがいった。「シャツを脱いでください」

シモンズは、いらだちと狼狽の混じった目で、コーテを見た。

「あとでいい」シモンズはいった。

「わたしの役目です」コーテがいった。

シモンズは、いそいで軍服のトップを脱ぎ、右肩甲骨のあたりに鋭く刺すような痛みを感じた。気がつかなかった裂傷がそこにあるようだ。

コーテが、腰のパックから小さな銀色の噴霧容器を出し、傷にスプレーした。一瞬にして痛みが消え、肩の力が抜けるのをシモンズは感じた。

「よし、コルテス、こっちの手当てが終わったら、コーテがライリー艦長の遺体を下に運ぶのを手伝ってやれ。これでは礼に失している」シモンズはいった。「ジェファソン、曳航式アレイ・ソナーを流して、このあたりになにがいるかを探ってくれ。PACOMに連絡がつくかどうかやってみよう。われわれになにを望んでいるかを問い合わせる。全員、持ち場についたままにしてくれ」

シモンズがシャツをたくし込むあいだ、コーテは新艦長の顔をしげしげと見ていた。ひとこともいわずに、ベルトから硬いプラスティック・ケースをはずして、まるで小さな聖書でも捧げ持つようにうやうやしく持ちながら、色分けされている数十種類の錠剤を選りわけた。

「これをどうぞ」コーテがいった。「このなかには――」

「黙ってよこせ」シモンズはそういって、錠剤三錠を呑み込んだ。色でわかっていた。グリーンの錠剤は覚醒促進剤のモダフィニルで、注意を集中し、持久力を保ってくれる。オレンジの錠剤は交感神経β受容体遮断薬で、神経を落ち着かせる。イエローの錠剤はデスモプレシンで、記憶力を強化し、排尿回数を抑えるので、小用のためにブリッジを離れなくてすむ。

コーテとコルテスが遺体を水密戸のほうへ運んでいるとき、戦術ディスプレイが警報を発し、ふたりとも動きをとめた。ふたりはライリーの遺体を水密戸の沓摺《くつず》りに置いて、それぞれの持ち場に急いで戻った。

「なんてこった、ハイドロフォン（水中マイク）で聴知だ」ソナーのデータ表示を見て、ジェファソンがいった。「魚雷航走中です。針路〇四五。近いですよ。距離三〇〇〇ヤード」

その瞬間、初の艦長としての仕事が、長つづきしないだろうということを、シモンズは悟った。当然のことだが、中国軍のやることに抜かりはない。生き残ってパール・ハーバーから脱け出した艦艇があれば沈めるために、〇九三型潜水艦のたぐいが港口に潜んでいたにちがいない。要するに、ひとつの罠から〈コロナド〉を脱出させ、べつの罠に導いたにすぎなかったのだ。

シモンズは、落ち着こうとした。「全速力に戻せ。やつらがわれわれを殺るつもりなら、必死で走らなければならないようにしてやる」

第三部

兵は詭道なり

——孫子『兵法』

ハワイ特別統治区　ワイキキ・ビーチ〈デュークス・バー〉

あの女は女神だ。

武漢ではああいう女はまずものにできないと、蕭　整《シアオ・ヂエン》にはわかっていた。小学生のころは、男の子が多く、女の子がごく少数しかいないのは、楽しいと思っていた。しかし、十八になると、そういう状態だと、もっとも醜いアヒルの子でも、男の子を選りどり見どりにできると気づいた。それに、蕭は女にもてるようなタイプではなかった。義務付けられている視力矯正手術がうまくいかなかったので、ひとりだけ黒くて太い竹の眼鏡をかけていた。

女神はふんわりしたブルーのスカートに、ぴっちりした白のタンクトップといういでたちで、バックパック型の革バッグを肩にかけていた。

その女が〈デュークス・バー〉にはいるときに、白枠のサングラスを鼻梁の上でちょっと直し、漆黒の髪がはらりと垂れた。蕭は、息を呑んでいたのを、意識して吐き出さなければならなかった。ホノルルに配属されて三カ月になるが、いまだに自分の部隊の女性海兵隊員に話しかける度胸を奮い起こすのにも苦労していた。

女が店内を進むと、水兵の一団が、こっちへ来ていっしょに飲まないかと、ブロークンな英語で叫んだ。女が目もくれなかったので、蕭の胸は高鳴った。

その目が醒めるような美女は、あちこちのテーブルで中国軍のさまざまな兵士といっしょにウォッカのストレートか白ワインを飲んでいる女たちに笑みを向けながら、混んでいるバーを通ってきた。女たちは売春婦で、たいがい中国本土から飛行機でやってくる。だが、この美女はあきらかにちがっていた。ぶしつけな視線を向けているのはわかっていたが、蕭はどうしても見ずにはいられなかった。女がバーのカウンターの前で立ちどまり、サングラスを額に押しあげた。落ち着いたそぶりは、金で買える女ではないことを示していた。それなりの男でなければ、相手にしないのだ。

それから一時間、蕭は女を見ていた。眺めるだけでも満足してしまうほど美しい女が、世のなかにはいるものだ。

「もう一順！」となりの止まり木《スツール》に腰かけていた伯岱《ボー・ダイ》がどなって、蕭の脇腹をつついた。伯が首にかけているデジタル認識票のマイクが、ベルトの携帯通訳機にその指示を送信した。トランプひと組ほどの大きさの通訳機が雑音を発し、一瞬遅れて、キンキン声の英語で、伯のわめいた注文を伝えた。伯は蕭の分隊の先任下士官で、いつも蕭に親身にしてくれていた。伯の注文をバーテンが予想していたのか、なみなみと注がれたショットグラス九客が、すぐさまならべられた。

「飲め、弱虫」伯が大声を張りあげてから、蕭にかるくヘッドロックをかけた。通訳機が汚い言葉を伝えようとしたが、酔っぱらっている伯が叩いて黙らせた。

　蕭はぺこぺこして、ショットグラスの中身を呑みほした。なまぬるいテキーラで、蕭がむせると、伯が叫んだ。

「おい、地元の売春婦にうつつを抜かすんじゃないぞ。おれの最高の助手の機関銃手が、女を怖がってないことをたしかめないといけない。女が怖かったら、カリフォルニアの二連銃身《ツイン・バレル》アメリカ女がおれたちに襲いかかったときに、どうしていいかわからなくなっちまうからな」伯は、馬鹿でかいおっぱいふたつを手まねで表わした。

大男の軍曹は、蕭を女神のほうへひきずっていき、まるで供物でもあるかのように、となりのスツールに座らせた。蕭は立ちあがった。膝がふるえていた。逃げ出したかった。どこかへ消え入りたかった。だが、ほんとうはそこにいたかった。

脚の力が抜けていた。向きを変えて離れようとしたが、スツールをひっくりかえした。日に焼けたしなやかな腕がのびてきて、倒れそうになった蕭の肩をつかんで支えた。「あわてないで、水兵さん」女がいった。

彼女がおれに触れた！　蕭は叫びたかった。

なにをいえばいい？　ハワイ語の挨拶は教わっていた。「やあ」は、なんだったか？　オ－ラ－ハ？　ちがう――通訳機ではなく自分の口からいいたかったが、どういえばいいのか、わからなかった。

だが、蕭が女神になにかをいう前に、サングラスが落ちて、拾いあげるために女神がスツールをおりてかがみ、蕭は忘れられないものを拝ませてもらった。

「これを洗ってこないと。そのあとで、一杯おごってくれる？」女がきいた。

蕭は黙ってうなずき、女がにっこり笑って、混んでいるバーの奥のほうへ姿を消した。女が戻ってきたときにワインが置いてあるように、バーテンにお代わりを頼もうとして、蕭はポケットに手を突っ込んだ。

「くそ！」大声で悪態をついた。あわてて、前に座っていたテーブルにひきかえした。財布をそこに置き忘れていた。

客の前で四つん這いになって、テーブルの下に潜り込み、財布を探す蕭の必死の形相を、分隊の仲間が見ていた。あった。大豆チップスの袋の下に、ビールで濡れた財布が転がっていた。蕭は財布を尻ポケットに入れて、立ちあがった。

仲間の海兵隊員たちが、蕭を見て笑った。小犬みたいに吠えたものもいた。

「坊や、コンドームがいるんなら、いっぱいあるぞ」伯がいった。

蕭は、伯の下品な手真似に背を向けて、人混みを分けて進み、足を踏んだり、こぼれたビールやスピリッツで滑ったりしながら、バーの奥へ行った。なんとか倒れずに、洗面所の暗い入口に着いた。ここで待てばいいのだろうか？　そこのほうが静かだった。分隊の仲間が悪ふざけを仕掛けていないのをたしかめるために、ちらりと見た。

心配ない。向き直ったとき、女は蕭に勇気があればキスができるくらい近くに立っていた。

「わたしの飲み物は忘れたの？」女がいった。

蕭が顔を赤らめ、目を伏せた拍子に、ふたたび女の乳房がすっかり見えた。女が蕭のベルトのバックルに片手をかけ、すこし引き寄せた。蕭が身をそらすと、女がちょっと強く引いた。

「いいの。もう飲まなくても。いっしょに来て」女がいって、洗面所から蕭を離れさせた。

「もっと静かなところへ行きましょう」

「ああ、いいね」蕭はつぶやいたが、通訳機には音が拾えないような小声だった。バーの店内から真っ暗な倉庫に通じているじとじとする階段へ、連れられるままについていった。

階段をおり切ると、女のほうが背が高いことに、蕭は気づいた。だが、女の胸に引き寄せられると、背丈のちがいはかえって都合がいいと思った。

ラベンダーとタルカムパウダー。顔に昇っていた血がすべて、こんどは股間に流れていったように思えた。体の奥であらたな勇気が湧きおこるのがわかった。伯のいったとおりだ！　コンドームをくれるといったときに、もらっておけばよかった。

女が溜息をつき、蕭を抱き寄せて、うっとりする一瞬が引き延ばされた。

蕭の体がこわばり、やがてひくひくと痙攣した。白いサングラスの蔓の鋭くとがった先端が、顎の骨のうしろに突き刺さり、内頸動脈を断ち切っていた。

ウィスコンシン大学マディソン校

まったくおなじグレーのスーツを着た男ふたりが講堂のうしろのほうにはいってくるのを見て、ヴァートナライズ・〝ヴァーン〟・リーは、母親の忠告に耳をかさなかったことを後悔した。

それどころか、一九四〇年代に日系アメリカ人の身に起きたようなことは、二十一世紀には起こるはずがないのだから、ウィキペディアはもう見ないほうがいいと、母親に注意した。現代のひとびとはそんなに愚かではない。とにかく、ヴァーンはそう思っていた。

ひとことひとことを無意識にいっそう南カリフォルニアのなまりに近づけながら、リーは講義をつづけた。

「こういったことから、ラックマウント電力システムには、さまざまな限界があります。たとえばどんな欠点があるか？　まず、場所をとることです」ヴァーンはいった。

それじゃ、北京に生まれていたとしたら、どうだっただろう？　ヴァーンはサンタモニカに生まれ育った。

「でも、利点もありますね。密度です。しっかりした設計の液体式エネルギー貯蔵システムを使えば、現行のラック式の設計ではじゅうぶんではない、工業用パルスパワーの応用に取り組めます」

高校ではビーチバレーをやった。しかも、レギュラーだった！

「現在のスイッチは四ミリ秒で作動するし、われわれは出力密度の増大に取り組んでいます。そうなると、エネルギーをどうやって蓄えるかという問題に戻ります。それはつねに密度の問題になりますし、液体がその答なのです」

男ふたりが着席するのを、ヴァーンは見ていた。スーツは見るからに安物で、〈ドッカーズ〉あたりだろうが、それはどうでもよかった。目につきたくないのであれば、卒業式の日はべつとして、スーツを着てネクタイを締めるという手はない。そのとき、ふたりともVIZグラスをかけていないのに気づいた。講義を録画しているわけではない。学生がちゃんと出席してるのを確認しにきたのか？　近々、徴兵が実施されるのを大学ではだれもが知っているから、そうだとしても意外ではなかった。

「ほかにも、スイッチの汚染に取り組むという問題があります。汚染はかならずといっていいほど、少数担体の寿命を縮めることになります。それにくわえて、わたしたちはピーク時のパワーを最大限に増大しているので、光作動式のスイッチの設計では、汚染がエネルギー減損のおもな原因になります」

だったら、なにがあのふたりの目的なのか？　パルスパワー・システムの数理力学の講座を、面白半分に受けるものはいない。

「さて」ヴァーンは講義のまとめに取りかかった。「なにか質問があれば、あとで講座ＳＩＭ（疑似体験）で連絡してください」

「ひとつ質問したい。むろん、講義を受けている学生諸君の許しを得たうえでのことだが」講義の途中ではいってきて、前列に座っていたレオノフスキー教授がいった。ＶＩＺグラスを額に押しあげて、終身在職権が得られるかどうかというプレッシャーからとうの昔に解放された人間らしく、のんびりとした笑みを浮かべた。

「諸君、まだ講義は終わっていない。みんなすこし時間を割けるかな？　もちろんだいじょうぶだね」

レオノフスキーが、いつもの伝で自分の質問に自分で答えた。

「結構ですとも」ふるえる手をうしろに隠して、ヴァーンはいった。無罪だとわかっているのに、いわれのない犯罪の罪で非難されると思ったとたんに、うしろめたい気持ちになるのは、どういうわけだろう。「中国系といっても、北京語はたいしてしゃべれないし、ひどいアメリカなまりになってしまい、母親にいちいちそれを注意されているくらいなのに。

「実用性の話をしようじゃないか。家一軒の大きさで短期の蓄電能力しかない液体式バッテリーに、どんな利用価値があるのかね？」レオノフスキーが質問した。「そういうものの市場があるとは思えないんだがね？　きみはどう思う？」

レオノフスキーは終身在職権査定委員会の委員で、ときどき若手教授の講義に現われては、意地の悪い質問をする。仕事人生の鍵を自分が握っていることを、思い知らせるためだ。

「それはまだわかりません」口ごもりそうになるのをこらえながら、ヴァーンはいった。

「つまり、将来の需要がどうなるかは、だれにも予測できないものですから。もっと大がかりなシミュレーションをすれば、あるいは……」

講堂のうしろのほうのふたりが、真剣なまなざしでヴァーンを見ていた。まじろぎもしない。

「いまはまだ、なんともいえません。ですが、いま応用法がわかっていないからといって、今後そういう方法が見つからないとはいえないでしょう。コンピュータがはじめて開発されたとき、IBMのCEOは、世界市場はコンピュータ四台だけだと考えました。わたしたちが見ているとおり、コンピュータは大成功を収めました」と、ヴァーンはいった。

「たしかに。しかし、すべての発明がコンピュータと肩をならべるものだとはいえない」レオノフスキー教授がいった。

終身在職権などどうでもいい。ヴァーンは講堂を早く出て、スーツの男ふたりから逃れたかった。サンダルを見おろし、自分の未来をあらためて考えた。

「もっといい答を示さなければならない、というのがわたしの答です」ヴァーンはいった。

「それがいちばんいいだろうね」と、レオノフスキーがいった。

学生たちが、どっと出ていった。講義のできが悪いのには当惑していたが、ふたりの男が消えていたので、ヴァーンはほっとした。

レオノフスキー教授は、大学院一年生ふたりの相手をしていた。急いで出ていけば、だれとも話をしないですむかもしれない。なにか食べて、どこか南の海で三十分ぐらいダイビングして、頭を冷やさなければならない。だったらタークスカイコス諸島のＳＩＭがいいかもしれない。

バッグのほうに身をかがめて、バックルをはずそうとしていると、目の前にＦＢＩという文字が現われた。

ヴァーンは顔をあげた。スーツ姿のひとりが、前に立っていた。擦り切れた黒い革の財布を持って、徽章とＩＤを見せていた。もうひとりはドアのところに立ち、唯一の出口をふさいでいた。

「ミス・ヴァーナライズ・リーですね？　いっしょに来ていただかなければなりません」

ドクター・リーといってほしいと、ヴァーンは心のなかでつぶやいた。だが、訂正は求めなかった。

「手錠はなし？」ヴァーンは棘々しくいった。「ボディチェックもしないの？　きっと大学新聞に記事が載るわね。〝大学の中枢で中国のスパイ逮捕！〟って」

ＦＢＩ捜査官が首をふり、ヴァーンの肩に手を置いた。自分の言葉をどう思われようが気にしないことに慣れている人間らしい、ぎこちないやさしさで、そっとささやいた。

「ミス・リー、そういうことではありません。ぜんぜんちがいます。わたしたちは、あなたを保護するためにきたんです。きょうの講義で述べられたことは、あなたには想像もできないくらい重要なんですよ」

サンフランシスコ　フォート・メイソン

ジェイミー・シモンズ大佐は、額の汗を拭った。九カ月の航海後に帰投した海軍士官が、バスに乗り、バス停から上り坂を歩かなければならないというのは、以前ならとうてい考えられないことだった。だが、とにかくうちに帰れたのだ。

うちといっても、サンフランシスコのマリーナ地区にあるフォート・メイソンの官舎だった。湾を見おろすところにあり、たとえ戦時でも貴重な不動産ではある。米海軍は海では小突きまわされたが、陸ではいかにも我が物顔をしている。海兵隊が検問所を護り、一般車両がベイ・ストリートにはいるのを禁じていた。ミサイルが突き出している黄土色の防空HUMVEE二両が、ラグーナ・ストリートとベイ・ストリートの角にとまっている。二両とも、地上発射型のAIM‐120AMRAAM（先進中距離対空ミサイル）の尖端を、非難するように西へ向けていた。対岸のマリン半島にあるホーク・ヒルの高みでは、もっと大規模なミサイル砲兵陣地とレーダー施設が建設されているところだった。中国軍は東太平洋安定圏と称する範囲から突出していないので、移動ミサイル砲兵の州兵がこれまでに目にした激しい動き《アクション》は、近所の子供がやっている午後のサッカーぐらいのものだった。

シモンズの家の前の歩道に、ちょっとした人だかりができていた。ほとんどがシモンズの知らない人間だった。シモンズは肩をそびやかして作り笑いをこしらえ、そちらに近づいていった。ひとびとは大佐の徽章を見てから、右目の上の傷痕に目を留めた。だれもがシモンズに握手を求めた。ハグしたものもいた。なにしろシモンズは、パール・ハーバーから戦いながら脱出した唯一の米海軍艦を指揮した英雄だった。だれもが希望を必要としていたし、シモンズに触れるだけで希望が湧いてくるようだった。あの日からシモンズにとってもアメリカにとっても、事態は悪化するいっぽうなのだが、ひとびとはそれに目をそむける途を選んだようだった。

玄関ドアがあき、子供たちが駆けだしてきて、シモンズの脚に体当たりし、いとおしげに必死でしがみついた。

「クレア、マーティン、おまえたちに会えなくて、すごく淋しかったぞ」シモンズはいった。

「ふたりとも大きくなったな!」

ふたりをそれぞれ左右の腕に抱え、海に出ているときみたいにすこし体を揺らした。歩道のひとびとがさがって道をあけた。家族との再会がどういうものか、よくわかっていたからだ。

マーティンが、シモンズの耳もとへ身を乗り出した。「パパ、ぼくがこしらえた看板が、家のなかにあるよ。なにかお土産はある?」

シモンズは、悲しげにほほえんだ。「ごめん。今夜はなにもないんだ。看板を見せてくれ」

「あたしが先にこしらえたのよ」クレアが、父親の注意を惹き戻そうとしていった。

リンゼイが近づいたので、シモンズは子供ふたりをおろした。

リンゼイの焦茶色の髪は、シモンズの記憶にあるよりも短かった。リンゼイが爪先立ちし、シモンズがキスをして、頰をなでる髪の心地よさを味わった。どんなSIMでも再現できない一瞬だった。

心配をかけたせいだろうが、リンゼイはシモンズの記憶にあるよりも痩せていた。雨の降る春の朝、ワシントン大学近くのバーク - ギルマン自然歩道《トレイル》を走っている彼女にはじめて会ったときよりも、さらに痩せていた。笑顔を見ただけで、ひと目惚れした。乗組員訓練でへとへとになっていたのに、名前をききたいだけのために、走りつづけた。それから四マイル走り、水飲み場でようやくリンゼイは足をとめた。

「こっちよ」クレアが、シモンズの手を引いていった。「あたしたちがこしらえた看板を見て」

マーティンが、父親の軍服に目を凝らした。「略綬《リボン》がすごいな。シリアルを食べる?」

「あとで食べよう」シモンズはいった。「それよりも、その看板が見たい」

マーティンとクレアが、シモンズを案内して、家具がほとんどないリビングに連れていった。カーペットはなく、ソファひとつと椅子一脚があるだけだった。

「まだなにもないの」リンゼイがいった。「あとはサンディエゴに置いたままで」

「でも、パーティをやる部屋はいっぱいある」シモンズがリビングを見まわしていると、客がぞろぞろとはいってきた。海軍の正装用の軍服、スーツかカクテルドレスの配偶者、それにおおぜいの子供。戦争前には、こういうパーティでこんなにおおぜいの子供を目にすることはなかった。いまはだれもが子供と離れたがらない。

「みんなこの瞬間を待っていたのよ。わたしも待ち遠しかった。海軍の生活って、待つことばかりじゃない、大佐？」リンゼイが、シモンズの新しい階級を長くひきのばしていった。

シモンズは、リンゼイの笑みをいつくしむように見て、引き寄せた。通常、昇級の式典には妻が出席するのだが、グアム救助任務が大混乱に陥り、その対策に追われたために、なにもかもが大急ぎで行なわれた。

「パパ、こっちだよ！」マーティンが叫んだ。「早く、早く！」

シモンズは、ハグや握手をこなしながら、縦横が九〇センチと一五〇センチの〈おかえりなさい、パパ！〉と書かれた看板の前にたどり着いた。紫とグリーンのクレヨンは、子供ふたりのそれぞれが好きな色だった。看板全体がその二色に塗られ、だれも手をくわえるのを許されなかったことを物語っている。

「うわー、これはすばらしい」シモンズはいった。

しゃがんで子供ふたりを強く抱きしめ、涙をこらえた。

そのとき、鼻を刺すかすかなにおいに気づいた。それは、鋼鉄の艦船と、防腐用のクレオソートを塗った木の桟橋と、錆と腐敗が相手の勝ち目のない戦いに捧げられた生涯によって染み付いた鋭い刺激臭だった。まだしゃがんだままで、シモンズはゆっくりと視線を動かし、黒い革のワークブーツを見た。擦り切れ、傷がつき、皺が寄っている、古いブーツだった。だが、それでもピカピカに磨かれ、鋼鉄が仕込まれた丸っこい爪先が、ビリヤードの球みたいに輝いていた。ブーツはすこし外を向いていた。左が一〇度、右が一五度くらいにひらいている。地球が縦揺れしたり持ちあがったりするのに、身構えている姿勢だった。シモンズの体がまずそういったことすべてを認識し、冷え冷えとするアドレナリンを血中に分泌して、それから脳が父親の存在を処理した。

「上等兵曹《チーフ》」シモンズは、ゆっくりと立ちあがりながらいった。「どうしてここにいるんだ？」

答が口にされる前に、リンゼイが割り込んだ。「わたしたちが来てからずっと、お父さまは週末はいつも来てくださるのよ。マーティンの自転車に新しいペダルを取り付けたり、わたしがシャワーを浴びられるように子供たちとゲームをしてくれたり」リンゼイはいった。

「ほんとうに助かっているの」

マイク・シモンズが、ただ右手を差し出した。歓迎の仕草だったが、なにしろ馬鹿でかい手なので、脅しつけたり、傷めつけたりする気配が、そこはかとなく漂っている。手の甲が赤くなるまでごしごし洗ってあっても、クレオソートと錆とグリースが毛穴からにじみ出ているように思えた。小指の先が欠けているのは、その手がなによりも工具であることのあかしだった。

「やあ、ジェイムズ」マイクがいった。本心をいえと挑みかかるように、息子を睨みつけた。

「お父さまのおかげで、すごく暮らしやすくなったのよ」取りなそうとして、リンゼイはなおもいった。

「看板を書いたと威張れればいいんだがね。でもまあ、家のことではいろいろ手伝うことができた。中国のサイバー攻撃のせいで、冷蔵庫は電話と話をしないし、便器も北京のご主人様の指示がないと、水を流してきれいにするかどうかを判断できない。おれはデジタルの代物は修理できないが、取り片づけて、代わりの手段を取り付けることぐらいはできる」と、マイクがいった。

シモンズは、子供ふたりを離して、父親の手を握った。自信に満ちた握手をするつもりだったが、急にそれができなくなった。

「さあ、ふたりとも、おじいちゃんがこしらえたお砂場を、お友だちに見せてあげて」リンゼイがいった。

それから一時間、リンゼイはずっとシモンズに付き添っていた。雑談やちょっとした挨拶が、リンゼイは前から得意だったし、シモンズは、父親が自分の縄張りを歩きまわって、コークを飲みながら子供たちに目を配っているということしか頭になかったからだ。

すぐにパーティはおひらきになった。顔を出せばいいだけで、長居は無用だと、客たちも心得ていた。

リンゼイが家のなかで片づけをはじめると、シモンズには父親と話をするのを避けるすべがなくなった。男ふたりは飲み物を持って、裏庭に立った。ふたりのシルエットは、見分けがつかないほど似ていた。ふたりはフォート・メイソン・グリーンを見おろし、かつてはジャズ・コンサートやワインの試飲会が行なわれた埠頭を眺めた。弾痕だらけのLCS二隻と、MkⅣ哨戒艇四隻が、舳先を桟橋にこすりつけている。小ぶりな艦艇のシルエットが、そこに繋留しているはずの大型軍艦の不在をまざまざと実感させた。

「ずいぶんけっこうな家だな、大佐」マイクがいった。「おれの場合は、近所に提督が住んでるなんてことは、一度もなかった。昇級の余禄だな」

「どういうことなんだよ?」父親が雑談を仕掛けたのには耳を貸さず、シモンズはいった。

「リンゼイには手伝いがいると思ってな」マイクがいった。

「へえ、リンゼイのことも子供たちのことも、よく知らなかったのに。結婚式にも来なかったじゃないか」シモンズはいった。

「戦争で、おれたちみんなの事情が変わったんだ」マイクがいった。

「たしかに」シモンズは、石みたいに硬いとわかっている、指の付け根の胡桃なみの大きさの関節を見やった。「あんたが炭酸飲料を飲むなんて、一生見られないだろうと思っていた」

ふたりとも、それぞれの飲み物をひと口飲んで、相手が口をひらくのを待った。子供たちの笑い声と叫び声が、ときおり沈黙を破った。

「海軍勲功章《ネイヴィー・クロス》とは、たいしたものだな、ジェイムズ」マイクが、攻め口を替えた。

「〈コロナド〉を脱出させたからだ」シモンズはいった。「ライリー艦長は、パールの湾内で、おれの目の前で死んだ」

「それにしても、LCSでどうやってそれをやってのけたのかがわからん」マイクがうなった。沿海域戦闘艦を意味する略語を、馬鹿にするように発音した。

「やめてくれ、チーフ。〈コロナド〉はまだおれの艦なんだ」シモンズはいった。「あんなにボロボロになっても」

「まあ、彼女《あのふね》のおかげで艦長になったんだから、借りがあるということだ」マイクがいった。

「〈コロナド〉がこれからどういう扱いになるか、見当はついているのか？」

「戦争が終わったら、博物館か記念館になるだろう」シモンズはいった。「それとも、認識票の原料になるか。わが国に必要な金属をどこかから調達しないといけない……パールで受けた打撃は修復できたはずだが、グアム救助作戦中のミサイル攻撃で、機械室《エンジン・ルーム》が完全に破壊された」

「艦をここに繋留してても、なんにもならない。おまえの本領は海だ」

「よりによってあんたにそういわれるとは」シモンズはつぶやいた。

「またその話を蒸し返すのか?」マイクがいった。「わかった。そういわれてもしかたがない。おれは家庭のことは仕事ほど得意じゃなかった」

「そんなことはない」シモンズはいった。「子供の世話をするというもっとだいじな仕事に、半分の力を注いでいれば。子供ふたりの両方に」

「いいかげんにしろ、おれのせいにするな」マイクがいった。「おれが家にいたとしても、あの子は助けられなかった」

「マッケンジーだ。おれの妹の名前をちゃんといえ」シモンズは、うなるようにいった。

ふたりは無言で睨み合い、向こうの庭では、マーティンとクレアが鬼ごっこをしていた。

「それで、じつのところ、艦隊はどんなぐあいなんだ?」マイクが、ふたたび話しやすい分野に移ろうとした。

「〝轍を踏む〟という言葉どおり、こんどこそいい結果が出るだろうと思って、おなじあやまちをくりかえしている。〈フォード〉と〈ヴィンソン〉（原子力空母〈ジェラルド・R・フォード〉と〈カール・ヴィンソン〉）が沈められたのは知っているだろう。東太平洋安定圏に足を踏み入れたとたんに、中国が警告どおりのことをやった。空母二隻にくわえて、原潜までやられた。そのあとも強引に艦隊を進め、事態はいっそう悪化した」

「いったいどうなってるんだ？　あれだけの威力がある艦が、そんなふうに簡単に破壊されるなんて、考えられない」

「空軍のおもちゃ飛行機は、ハッキングに遭って地面から飛び立てない。いっぽう中国は天空も支配している――衛星、宇宙基地、なにもかも。こっちの動きを逐一見て、思いのままにターゲットを選べる。いずれ水上艦に対してもおなじことがやれるようになるだろうが、いまは潜水艦ですら隠れられない。隠密に動くことができない潜水艦なんて――」

「サメじゃなくてサケだ」と、マイクがいった。

「弾道ミサイル原潜《ブーマー》だけが、攻撃目標になるのをまぬがれている」弾道ミサイル原潜は、アメリカの戦略核兵器部隊の中核だ。

「中国の人口が半分に減るのを覚悟しないかぎり、攻撃できないさ」マイクはいった。「中国が最初にパール・ハーバーに現われたときに、核攻撃すべきだったんだ。ハワイの第二五歩兵師団《ID》とオアフ島の海兵隊基地すべてが空爆された直後に。残忍な人殺しの中国人め、核攻撃しろといったのとおなじことじゃないか。まだそのチャンスはある」

「そんなことにならないように願っている」シモンズはいった。

「そうなる。おれのいったことを忘れるな」マイクがいった。「はっきりいうが、急転直下、敗勢が見えた時点で、核攻撃すべきだったんだ。最高司令官である大統領が尻尾を巻いて逃げだしたときに、統合参謀本部議長はせめて辞任して名誉を護らなきゃいけなかった」

「クビになったあとで、統合参謀本部議長はまさにそう批判した」シモンズはいった。「なにが起きたかを国家指揮権限保持者（大統領と国防長官）が把握したのは、事後しばらくたってからだった。そのあと、戦略的計算が変わった。核の使用は、自殺にひとしい報復の意味しかなかった。だいたい、中国はわれわれの通信網に深く浸透していたから、核兵器使用命令がちゃんと伝わるかどうかもわからなかった。中国に先制核攻撃の口実をあたえてしまったかもしれない」

「それでも攻撃すべきだったし、いまからでもやるべきだ。北京と上海を核攻撃し、海南島も忘れずに攻撃しろ」マイクがいった。「外交は抜きだ。テレビのタマ無し男どもがいう〝わたしたちの世界を再創造する〟みたいなごたくは、もういらない。やつらの都市を火の海にしろ」

「モスクワはどうする？」シモンズはいった。「モスクワも核攻撃するのか？　はるかに遠い海で起きた戦闘、すでに終わった戦闘に加勢しなかったフランス、イタリア、ドイツはどうする？　ご親切にも米軍基地の後片付けをして、撤退するよう要求した日本は？　あんたの計画どおりにやったら、ここも含めて世界中が火の海になる」子供たちがまだ追いかけっこをしているほうを、顎で示した。

マイクが、照明の消えたゴールデン・ゲート・ブリッジと、マリン半島とサンフランシスコを隔てている真っ暗な海を、コークの缶で指し示した。

「欲の深いやつらめ、あの橋を買うぐらいで満足すればいいものを」と、マイクがいった。

「たしか、四年前に買ったはずだろう」シモンズはいった。

「ちがう。買ったのはカルキネス橋だ。有料の醜い吊り橋だ」マイクがいった。

「とにかく、まだ終わったわけじゃない。ハワイも降参していないし。抵抗運動も激化しているんだ。生き残りの兵士の多くは、イラクとアフガニスタンの戦争を経験している。不正規戦を間近に見たことがあるし、いままさにそれを自分たちがやろうとしている、という話だ」シモンズはいった。

「手荒くしっぺ返ししてやれ」マイクがいった。

闇のなかへそばを走っていく子供ふたりの笑い声のコーラスを聞くために、ふたりとも言葉を切った。

「リンゼイはほんとうに健気に耐えているよ」マイクがいった。「文字どおり運転できなくなっている者もいる。中国にGPSを使用不能にされてから、なにもできなくなったんだ。自動運転ができなくなったし、それに頼っていた人間は、だれかに運転してもらわないと、どこへも行けない。だが、おまえの女房はちがう。この国に、彼女みたいな人間がもっとたくさんいればいいのにと思う」

シモンズは、飲む途中でやめて、父親を無言で見つめた。この家に父親がいることが不思議でならなかった。自分よりもリンゼイのことをよく知っているのが、不思議でならなかった。

「さっきのパーティでもわかるだろう」マイクが、話をつづけた。「すこし前までは、夫の艦が攻撃で穴だらけになって、行方不明になったと見られていたんだ。あんなに強くて善良な女は、おまえにはもう二度と見つけられないだろう。どうしておれにそれがわかると思う？」

「どうしてだ？」シモンズはきいた。

「彼女はおれを家に入れてくれた」

「あんたのことを知らないからだ」

「ジェイムズ、おれは努力した。おまえには十四年間、会っていなかった。いまのおれは、昔とはちがう。おまえの母さんのこと、おまえの妹が死んだこと、いろいろなことがあって、変わった」

「それでここに来たのか。何事もなかったかのように」シモンズはいった。

ふたりは無言で見つめ合った。

「まあいい、好きなようにとればいい。おれなりにやってみたんだ。どのみち、もう出ていく」マイクがいった。「あすは早いんでね」

「みんなそうだろう」シモンズはいった。「訓導乗組員《メンター・クルー》の仕事か？」

最初の損耗によって、第一線級の艦艇ばかりではなく、人的資源もとぼしくなった。高齢で徴兵できなくても経験豊富な人材はいる。そういった人材の専門知識を活用するために、訓導プログラムが発足した。配置転換し、訓練して一人前にしなければならない新乗組員を訓導するために、退役した高齢の下士官が、艦隊の各部署に配置された。

「この戦争を一介の民間人契約要員として戦うつもりは毛頭ない」と、マイクがいった。

「それじゃ、どこで働かせてもらっているんだ？」

「いまはその話はできない」マイクがいった。「いくらおまえが相手でも」

「昔とたいして変わらないな」棘のある声で、シモンズはいった。

「いずれわかる。ほんとうに変わったんだ」というと、マイクは背を向けて、孫たちにお別れをいいにいった。

ハワイ特別統治区　ホノルル　中国軍司令部

わたしは寄る辺なくわびしく暮らし

そして待つ最期がおとずれるのだろうかと（以上、プーシキンの一八二一年の詩の冒頭「生きながらにして望み失せて……」に続く部分）

プーシキンは軍情報部にはいるべきだったと、ウラジーミル・アンドレイェヴィッチ・マルコフ大佐は思った。ロシア軍特殊任務部隊《スペツナス》のマルコフ大佐は、もう一杯、熱い紅茶を注いで、その本を読みつづけた。詩の世界は、玉喜来《ユー・シーライ》将軍の執務室から来る山のような文書からの唯一の気晴らしだった。『プーシキン詩集』は、長年の旅の道連れで、チェチェン、グルジア、ウクライナ、タジキスタン、スーダン、ベネズエラへ持っていった。そして、いままたべつの戦域の湿気と汚れが、背表紙に忍び込んで、製本がゆるみ、ページが抜け落ちそうになっていた。

マルコフの執務室のドアがバタンとあいて、華奢なデスクが揺れ、紅茶がこぼれてひろがった。マルコフは紅茶を袖で堰《せ》き止めて、詩集がこれ以上濡れないようにした。

「なんだ！」おたがいの唯一の共通言語である英語で、マルコフはどなった。

副官の簡勤統《ジアン・キントン》中尉が、直立不動で目の前に立っていた。

「わが国の海兵隊員がひとり死にました」簡がいった。「第一六四旅団の若い二等兵です」

「戦争だからな。人は死ぬものだろう」マルコフはいった。

もとはバケーションの楽園だったハワイにマルコフが来てから、三週間が過ぎていた。この派遣任務は、同盟の取り決めの一環だった。マルコフは中国軍との連絡将校として、ロシア軍の存在感を示し、苦労して身につけた防諜の専門知識を提供することになっていた。しかし、これまでのところ話を聞くのは箇ひとりだし、それもスパイするよう命じられているからにほかならないと、マルコフは睨んでいた。

玉喜来《ユーシーライ》将軍向けの最初のブリーフィングで、不正規戦を展開する相手を敗北させるには、敵を軍事的に打ち砕くだけではなく、敵を理解する必要があるという、もっとも重要な教訓をまず説明した。

通訳がまちがっていたのかもしれないし、あるいは玉将軍が頭が悪くて、わからなかったのかもしれないが、とにかく玉は、敵に感情移入すべきだというマルコフの進言を、弱さのしるしだと解釈した。そこから会議はとんでもない方向に進みはじめた。玉は自分の司令部にロシア人顧問をつけるという案を、明らかに不愉快に思っていた。自分がまちがっている可能性があるのを認めるにひとしいからだ。会議を終えるとき、玉は丁重に礼を述べたが、〝住民を監督する手法〟に関して、チベットで最後の抵抗を踏みつぶした自分には、じゅうぶんすぎるほどの経験があるといった。そこでマルコフは、最後のダライ・ラマの頑強な信者とはまったく異なる勢力を相手にしていることを玉将軍が悟るまで、いったいどれだけかかるだろうと批判した。

そのやりとり以来、マルコフはさまざまな任務を押しつけられて、基地の外に行かされ、手があくひまがなかった。だが、指揮権のある実質的な任務には、一度も参加できなかった。

それに、金網の外へ出るときには、簡がつねにそばにいて、四六時中離れない。マルコフが面倒に巻き込まれるのを防ぐためではなく、マルコフが面倒を起こすのを防ぐのが目的だった。

「現地の指揮官は、反乱分子による暗殺だと報告しています」と、簡がいった。

マルコフは、両眉をあげた。「兵隊を暗殺？ 司令部の事務職の中尉を暗殺するより、すこしは有効かもしれない」マルコフは、簡が自分にあずけた厄介事を格好のネタにした。簡をからかうのは、この派遣任務の数すくない愉しみのひとつだった。

「海兵隊員が弱いやつを間引いたんじゃないか」マルコフはなおもいった。「ひと腹の仔犬のなかには、かならずできそこないがいる。こういう厳しい海外派遣には耐えられないことが多い」

「二等兵の所属部隊では、そういうことはないといっていますし、審査もそれを裏付けています」と、簡がいった。

「軍曹の脳をCTスキャンにかけても、実情はわからんよ。軍曹は、士官に嘘をつく手口を学びながら一生勤務するものだ」マルコフはいった。「行くぞ」

命令がないと司令部を出る理由がないと、簡がわめいた。マルコフは簡を押しのけて、すたすたと執務室を出ていった。

高級将校がホノルル市内へ行くときにはかならず乗っていくようにと玉将軍が厳命してい

る〝狼〟装輪装甲車に乗り、ふたりは五分とたたないうちに、〈デュークス・バー〉の前に着いていた。簡に聞く耳があれば、そうやって状況把握能力よりも部隊保全を優先するのは典型的な過ちだということを、マルコフは教えていたはずだった。

マルコフは、中国軍の歩哨のそばを大股に通り、ひと気のないバーを抜けた。簡が数歩遅れてつづいた。階段室へ行くと、視覚以外の感覚ができるだけ多くを吸収するように、マルコフは目を閉じた。湿っぽくて蒸し暑く、ほとんど乾いている血とすえたビールが混じって、塩辛く甘いにおいがしていた。マルコフは目をあけて、その場をじっくりと眺めた。死体は壁にもたれて座り、まるで酔っ払いがちょっと休んでいるみたいだった。黒い血の流れが、若い海兵隊員の首にこびりつき、顔にはショックを受けた表情が、永遠に固まっていた。

簡がこれをどう推理するだろうと考えて、マルコフは頬をゆるめ、死体を余念なくじっくりと調べた。首のほかに刺し傷はなく、争った形跡もない。性的暴行の痕跡もない。

「さて、中尉」マルコフは、影のように着き従ってる簡にきいた。「首に穴をあけて下っ端の中国海兵隊員を殺すような手間をかける人間が、戦域にいったい何人いるだろうね？」

予定外の出来事はすべて反乱分子の犯行だという、肩どおりの答が返ってくるのを、マルコフは待たなかった。ひょっとして、今回は簡のその言葉が正しいのかもしれない。海兵隊の仲間の反抗なら、意識を失うまで叩きのめし、海に浸けていただろう。そういう例をすでに一度見ている。

しかし、こんな奇妙なやりかたでじかに手を下すのは、反乱分子の犯行だとは思えない。体をかなり密着させて殺している。

マルコフは、血でべとべとになっている床をじっと見た。痣や争った形跡を残さずに殺せたのは、このチビが知っていて、すぐそばに近づける何者かが犯人だったからではないか？　残忍な殺しだが、繊細な武器を使っている。ペアリングナイフか？　占領軍に協力的なバーの奥の暗い階段で、海兵隊員が身を寄せたくなるような相手にちがいない。女か？　地元の売春婦か？　それとも男か？　分隊の仲間が、ふたりだけの秘密がばれないように殺したのか？

戦争はめったに答を示さない。示すのは疑問ばかりだ。だからこそ、マルコフは戦争がおおいに楽しみだった。

ヴァージニア州　地下鉄ブルーライン　ペンタゴン駅

ペンタゴンでは、だれもが待たされる。地下鉄駅では、エスカレーターに乗る順番を待つ。入館証をもらうのに、身許確認の列にならぶ。金属探知機のゲートで待つ。なかにはいっても、五角形の建物の環状通路を仕切っているセキュリティ・チェックポイントで待たされる。

そのあとも、食堂や洗面所にはいるのに、順番を待つ。

ダニエル・アボイは、そのせいで気が滅入っていた。待つことばかり多いこの場所は、渋い顔で敗色濃厚な理由を弁解する準備をしている人間にうってつけだ。

アボイは、プリントされたばかりでまだ温かい入館証を、サブ・マシンガンを持っている民間警備員に渡した。

「ありがとう」警備員がいった。「ちょっとだけ我慢すればすむことですから」

アボイはさっと顔をあげて、警備員の目を覗き込んだ。南スーダンのディンカ語を最後に聞いたのは、いったい何年前だっただろうか？　アボイは笑みを浮かべ、何年も使っていなかった言葉で応じた。

「ありがとう、同胞。ふるさとから遠く離れたものだな」

「ふるさと？　いまはここがふるさとですよ」おなじ言葉で、警備員がいった。「あなたもおなじでしょう」

絆が感じられたのがありがたく、アボイはうなずいた。もしかすると吉兆かもしれない。アボイはチェックポイントを通って、つぎの列にならんだ。こういう思いがけない発見に、もはや驚きを感じなくなっていた。騎馬武装集団ジャンジャウィードに両親を殺されたあと、アボイはすきっ腹を抱え、血まみれの足で何週間も歩いた。オプラ・ウィンフリーなどのマスコミ関係者や人道支援団体は、アボイのような戦争孤児の群れを〝迷子の少年たち〟と呼んだ。ぴったりこない。アボイは自分を迷子だとは思っていなかった。いいようのない悲しみの上に、信じられないくらい幸運な暮らしを築いたことが、まだほんとうとは思えなかった。それは自分自身よりも大きな、説明のできないなにかの一環にちがいない。だから、アボイはスタンフォード大学で、工学にすんなりとのめり込んだ。それまでの自分の人生とはちがって、予測できたからだ。新興のIT企業は玉石混淆で、将来が読める会社もあれば、幸運な発見を必要とする会社もある。アボイは、支援したほうがいい会社と、近づかないほうがいい会社を見分ける能力によって、シリコン・ヴァレーのベンチャーキャピタル投資会社でのしあがった。

アボイが順次走査《シーケンシャル・スキャナ》によるボディチェックとDNA解析をようやく受け終えると、ライトグレーのパンツスーツを着た小柄な赤毛の若い女が進み出た。アボイの前で立ちどまるとき、ラバーソールのパンプスがキュッと鳴った。

「アボイさん、わたしは調達・技術・兵站《へいたん》担当首席国防次官の特別補佐官、キャサリン・ヘインズです」めったにない宝物を競りにかける競売人みたいな早口で、ヘインズがいった。

「わたしの部屋でお話ししましょう」アボイの返事を待たなかった。「どうぞこちらへ」

三百十七歩歩いた——アボイは数えた——そのあいだ、窓をひとつも見なかった。

狭い部屋にはいると、ふたりは座り、みずから説明するのを促すように、ヘインズがアボイの顔を見た。

「それでもクレイバーン長官との面会時間に間に合いますか？　セキュリティ・チェックの列がだいぶ長かったし、長官にご不便をかけては申しわけない」

「なにか考えちがいをなさっているようですね、アボイさん。面会の相手はわたしです」と、ヘインズがいった。「国防長官はきょうはここにおりません」

アボイはすかさず立ちあがり、一九五センチの長身で、埃にまみれたファイバーボードと、まるで農作物みたいなLEDライトの列を見あげた。一瞬の間を置いてから、ヘインズを睨みつけた。

「国防長官に会えないのなら、無駄足でした」と、アボイはいった。

「クレイバーン長官は、あなたに役割をあたえてほしいという上院議員の伝言によろこんでいましたが、約束したのはまちがいでした」ヘインズがいった。「シリコン・ヴァレーのやりかたをそのままここに持ち込めるとはかぎりませんからね。戦争中ですし」

「ぼくがそんなことも知らないというような口ぶりですね」

「すみません。悪気はなかったんです」ヘインズがいった。「わたしがいいたいのは、戦争遂行に貢献したいというお気持ちはありがたく思っていますが、好むと好まざるとにかかわらず、手続きには従わなければならないということです。この首都の二大企業《ビッグ・ツー》のどちらかと相談して、協同事業のようなものに関心があるかどうかを打診することを勧めます。どちらも国防総省のさまざまな部門を通じてプロジェクトを進めるのに、すぐれた手段があり、もちろん、関連する議会の委員会にもコネがあります。ただ、注意しておきますが、利益率はかつてあなたがたが満喫していたよりもずっと低いですよ」

「下請け契約や金儲けの話をしに来たんじゃないんだ！」アボイは、声を荒らげた。「ぼくにこれほどよくしてくれた国に、どうにか恩返ししたいと思ったからだ」

「ああ、そういうお気持ちでしたら、市民が手助けする模範的なやりかたは、州兵に応募することです。そうするよう勧めます。あるいは、特別研究委員会に加えてもらうよう、その上院議員にお願いしたらいかがですか」

わざとらしく時計に目を走らせてから、目を丸くして、小首をかしげた。面会が終わったことを示す、世界共通の仕草だ。

「なるほど。手間をとらせたね。説明をありがとう」といって、アボイはそこを出た。

ハワイ特別統治区　ホノルル　カカアコ

刃を軽く肌に押しつけ、それがもたらしてくれる忘我に集中した。新しい血がどんどんしたたり、力がみなぎる完璧な一瞬に達したことを知った。あとは刃に全体重をかけて、深く突き刺すだけでいい。自分を抑えたままでそう思うと、電撃に撃たれたような心地を味わった。このまま自制を失うこともできるのだ。

はっとして、キャリー・シンは目をあけた。腕を見おろし、切り口を指数本で押さえた。腕が痛かったが、なじんだ痛みだった。つらいが、心が安らぐ。数カ月ぶりに、はじめて精神が安定していた。タオルをまさぐって止血すると、もうなんでもさばくことができるという気持ちになった。

それをやらせたのは、彼のヘアブラシだった。

使い捨ての黒いプラスティックのヘアブラシ。ふたりのコンドミニアムには、彼の思い出の品々がいくらでもある。写真、サーフボード、自転車。だが、あのときキャリーは、ヘアブラシについていた彼の髪の毛を見た。かけがえのない彼の体の一部。

三年前にリストカットを彼に見つかってから、いままでずっとやっていなかった。恥ずかしく、彼にどう思われるかと心配だったが、彼は抱き締めてくれた。もう独りで自分を傷つけることはないといってくれた。ぼくがそばにいて護るから、と。軍服を着た男よりもきみをしっかりと護れる人間は、どこにもいない。傷痕が消えるように高価なスイス製の〈ナノダーム〉のクリームを買ってくれて、その話は二度としなかった。

いま、彼はどこにいるの?

服を始末しなければならない。白いタンクトップに血がついたが、暗いなかでも見とがめられるほどではなかった。トランプの大きさにタンクトップを切り刻みはじめたが、ふと手をとめた。

フィアンセの顔が、また意識によみがえった。それから、フィアンセを愛しているのとおなじくらい憎んでいる父親の顔が浮かんだ。その愛と憎しみの理由は似通っていたが、それでいて恐ろしいくらいちがっていた。

切れ端をポリ袋に入れると、腕がふるえた。やっとの思いで、五ガロン（約一九リットル）入りの容器を右手に持ち、左手でポリ袋の口をあけた。

また手をとめた。

布の切れ端を出して、腕の切り傷を拭いた。それからポリ袋に戻した。つぎはサングラス。最後に財布をポリ袋に入れた。

アドレナリンが引いたあと、キャリーはすでに一度吐いていた。部屋のドアに鍵を差してまわしたときに、吐き気がこみあげた。脚に力がはいらず、よろよろとバスルームへ行って、十分のあいだゲエゲエ吐いてから、床に転がり、気を失った。

目が醒めたときには、自分がなにをやらなければならないかを知った。それが九時間前のことだ。

いま、塩素漂白剤のにおいにむせながら、自分の弱さをつかのま感じた。フィアンセのことを思った。死ぬ前に彼はなにを思っただろうか？　気を引き締め、ポリ袋に漂白剤を注ごうと身構えた。それをやってから、ほかのゴミといっしょにコンドミニアムの焼却炉に持っていく。

白いタンクトップに黒い髪の毛が一本ついているのを見て、キャリーは手をとめた。すぐにだれの髪の毛であるかがわかった。キャリーはポリ袋に手を入れて、髪の毛をヘアブラシに乗せた。

あたしの痛み、あなたの痛み、彼らの痛み、それがすべていっしょになる。

メア・アイランド海軍造船所　米海軍ミサイル駆逐艦〈ズムウォルト〉

ブルックスのモヒカン刈りの髪を見るたびに、マイクは顔をしかめる。このガキは、ここをどこだと心得ているんだ？　陸軍とはちがう。特殊部隊なら、パジャマを着ようが、ドレスアップして遊ぼうが、勝手だ。だが、海軍の軍服は、あくまで全員が着る制服として作られている。

だが、海軍はこのモヒカン刈りの若者を必要としている。そこで、マイクは二十歳そこそことおぼしいブルックスに〝モー〟という綽名をつけて、モーをどなる代わりに、デイヴィッドソンに八つ当たりする。七十歳のデイヴィッドソンはマイクの昔馴染みなので、標的にしやすい。ふたりとも年老いてはいるが、強健だった。暗いところでは双子と見ちがえるほどよく似ている。第一次湾岸戦争の最初のころ、デイヴィッドソンはマイクといっしょに出征した。それ以来、相手の肌がなめし革のようになり、無精ひげが白髪交じりになるのを見て、歳月の流れを知りつつも、どちらも自分が年取ったとは思わなかった。ところがある日、相手が鏡に映る自分と生き写しだと気づかされる。

「塗装をぜんぶ剝がさなきゃならない――おまえの孫にやりかたを教わったほうがいいんじゃないのか」マイクはいう。デイヴィッドソンが知らないわけはないが、それでもいわなければならない。叱っているのではなく、モーに向けたお芝居だった。

「それから、剝き出しの表面が出たら、ひげを剃り立ての顔みたいにつるつるにする……くそ、おい、気が散るじゃないか。それから、エポキシ樹脂を、おまえに二百年前に教えたみたいに塗る。つぎにこのモーがアンテナを取り付け、UV塗装スプレーを吹き付け、またエポキシで密封する」

デイヴィッドソンとブルックスは、巨大なバンパー・ステッカーみたいに見える、合成開口レーダー・アンテナをあらたに取り付けているところだった。半分までできていた。

デイヴィッドソンが、文句をいった。「だがな、マイク、剝がすっていっても、おれのちんちんとはちがって鋼鉄じゃないんだ。上部構造の素材は――」

「デイヴィッドソン、この船がガール・スカウトのクッキーでできてても関係ない。エポキシが塗れるようになるまで砂糖衣を剝がせばいいんだ。見ればわかるはずだから、そんなことまでいちいち教える必要はない。いいから仕事をやれ！」

「だけど、複合材っていうのは――」デイヴィッドソンがいった。

「おいこら、デイヴィッドソン、まだわからないのか？　おまえは近ごろの若者みたいな口を叩いてるぞ。モーにファッション情報でも教わったらどうだ」と、マイクはいった。

モーが防護マスクをはずして、彫ったばかりの頬の刺青をかいた。コンピュータの新しいフォントで、イニシャルの小さな象形文字を入れている。甲高くいななくように笑った。

「あんたたちじいちゃんに、女を世話してやろうか」と、モーがいった。

マイクは、若い水兵のほうに身を乗り出した。コーヒー臭い息に、モーがたじろいだ。

「笑ってるのか、モー？　おれの海軍が、おまえにはそんなに可笑しいか？　これが三十五年前なら、おまえを下の甲板にほうり投げて、階級章をむしり取って、ケツを蹴飛ばしてやるところだ。訓導乗組員《メンター・クルー》は遊びじゃないんだ。こいつのいい分をよく聞け。おまえがいった〝じいちゃん〟は、おまえがまだ生まれてなくて、おまえの父ちゃんが《プレイボーイ》にセンズリのしみをつけてたころに、海軍の艦で勤務してたんだ」

モーが、まごついた顔できいた。「プレイボーイって、なに？」

デイヴィッドソンが大笑いしたので、マイクはそっちを向いて、わざとらしいおだやかな声でいった。

「デイヴィッドソン、口を閉じてろ。モーは鳥が頭にとまってるみたいな髪型だが、おまえよりずっと頭がよくて、仕事が早くて、優秀なんだ」若い水兵のほうを向いた。「だが、モー、おれたちがおまえくらいの齢のときは、ふたりともおまえが一生かかってモノにするよりもいっぱい女を抱いたもんだ——四十八手で。おまえの母ちゃんも、そのなかにいたはずだぞ」

艦の甲板にいるときに使う大声で、マイクはどなった。「無駄話は終わりだ。二〇〇〇時に新艦長が来るから、おまえたちは甲板を清掃しろ。こんな艦とおまえらみたいな乗組員を抱えるはめになる艦長《おやじ》は気の毒だな」

マイクは艦尾へ歩いていき、ひとつ深呼吸をして、速くなっている動悸を静めようとした。乗組員に発破をかけても血圧があがらないような体力は、もう残っていない。これからは、それに用心しなければならないだろう。

メア・アイランド海軍造船所のほうを、マイクは眺めた。一八五四年にデイヴィッド・ファラガット大佐（当時）が初代司令をつとめた造船所は、かつて幽霊艦隊《ゴースト・フリート》が繋留されていたサスーン湾のすぐ先にある。ファラガットは、その後、南北戦争中にモービル湾海戦で、「機雷などかまわん、全速前進！」という命令を下したことで勇名を馳せた。こういった結びつきは、マイクが感じている世代を超えた水兵の絆に真実味をあたえていた。あのおなじ桟橋で、ホーン岬をまわる長い航海で、ゴールドラッシュの〝四九年組〟を運んできた快速帆船が修繕され、二十世紀初頭にはアメリカ海軍初の潜水艦数隻が建造された。第二次世界大戦中は、ここで五万人の労働者が雇われた。冷戦終結とともに閉鎖されたメア・アイランドの各船渠《ドック》はいま、国にふたたび必要とされて、活気づいていた。マイクは、モーのような若者や、いつの日かアメリカ海軍の歴史を書くはずの歴史家に、責任を感じていた。

デイヴィッドソンが、煙草のパッケージを持って、近づいてきた。「一服やらないか?」

「やめたんだと思っていた」マイクはいった。

「やめたが、まだ売ってるやつがヴァレホにいるのを知ってて」デイヴィッドソンがいった。「ストーンフィッシュ・ミサイルと肺癌に競争させるのもおもしろそうだと思ったのさ」

マイクは、煙草を一本もらい、デイヴィッドソンのガスライターの火も借りた。

「若いやつらは働きっぷりがなってない」マイクはいった。

「それはそうだが、厳しくあたるのもどうかな」デイヴィッドソンがいった。「あいつらは、危険を承知のうえでやってるんだから」

「そこなんだよ——ほんとうにそうかな? おれが死ぬまで憶えられないようなことを、あいつらはやってる」マイクはいった。「しかし、戦争に負けたらどうなるか、わかってるんだろうか?」

訓導乗組員の高齢のひとりが、段ボール箱を抱えてよろよろと手摺ぎわを歩いているのを、ふたりは見ていた。すると、短いドレッドロックを棘みたいに立てた若者が、そばに行って、艦内に運ぶのを手伝った。

「若いころのおれたちも、あんなふうだった。へんな自信とろくでもない考えばかりあって」デイヴィッドソンがいった。

マイクは、煙草を深く吸ってから、艦尾の向こうの海にはじき飛ばした。

「たとえ中国が勝ったとしても、VIZグラスやグループSIMをそのまま使わせれば、あの若者たちには勝ち負けもわからないんじゃないか」マイクはいった。「だって、あのゴーグルをかけていれば、世界のどこへでも行けるからな」

「やったことはないんだろう?」デイヴィッドソンがきいた。

「現実の世界が好きだから、それでじゅうぶんだよ」マイクは答えた。

「一度ためしたら、なにもかもがちがって見える」日焼けしているたるんだ二頭筋を掻きながら、デイヴィッドソンがいった。「とにかく、そういうことがありうるように見える。おれがいまVIZグラスをかけてたら、格納庫の上に飛んでいって、こっちを見おろすだろう。まあ、戦争前にはやればできたということだ。VIZも、もう前とはちがう。VIZをもとどおりちゃんと使えるようにするだけのために、戦争に勝ちたいと思ってる若者は、おおぜいいるはずだよ」

「甲板、気《アテンホッ》をつけッ!　……右へ倣えッ!」

ジェイミー・シモンズ大佐は、舷門を昇っていった。大男にしては、足音が静かだった。

敬礼すると同時に、ミサイル駆逐艦〈ズムウォルト〉の恐ろしげな姿をじっくりと見るために足をとめた。

〈ズムウォルト〉は全長一八五・九メートルで、ミサイル駆逐艦としては最大の巨艦だった。ワシントン記念塔を横倒しにしてならべたとしても、なお一七メートル長い。上部構造には直角の部分がない。従来の艦艇よりも五十倍、レーダーに見えにくい設計になっている。いっぽう、第一甲板から下のソナー・シグネチュア（ソナーに識別されやすい物理的特性）は、ステルス性の高い潜水艦なみに抑えられている。だが、無敵だという印象をあたえる外観は、そういったことではなかった。皮肉にも、兵装がなにひとつ見えないことが不気味だったのだ。〈ズムウォルト〉は、なにもないのっぺりした姿で、数多くの破壊兵器を隠しているように思えた。

しかし、〈ズムウォルト〉が見た目ほど獰猛ではないことを、シモンズは知っていた。

かつては二十一世紀の艦隊の前衛になると構想されていたのだが、現実にはだれもほしがらない孤児になってしまった。このＤＤ（Ｘ）級が案出されたのは一九九〇年代初頭だった。カッターナイフのように鋭い形の波浪貫通タンブルホーム船型から、通常の主機の十倍の電力を発揮する永久磁石モーターに至るまで、あらゆるイノベーションが盛り込まれ、海戦を革命的に変えるように設計されていた。高度に自動化されたＤＤ（Ｘ）は、おなじ大きさの軍艦が一世代前に必要とした乗組員の半分しか必要としない。勝負の行方を変えるこの新設計により、ＤＤ（Ｘ）はおなじように勝負の行方を変える各種の新兵器を搭載することになっていた。なかでも電磁砲《レイルガン》は、史上のどんな砲熕《ほうこう》兵器よりも有効射程が大きい。米海軍は、のちにDDG1000級と名付けられる〈ズムウォルト〉が、南北戦争時代の初の装甲艦〈モニター〉や、初の本格的戦艦〈ドレッドノート〉とおなじように、歴史的な軍艦になることを期待していた。軍艦建造の従来の法則をすべて打ち壊し、海戦の新時代をもたらすはずだった。

それはあくまで計画だった。シモンズが海軍軍学カレッジで修士号を修得したころには、Z（〈ズムウォルト〉）の物語は、船舶建造のやってはならない例のケース・スタディになっていた。ひとつの開発計画《プロジェクト》に、リスクのあるイノベーションを詰め込み過ぎていた。しかも、二十世紀末になると、最新鋭の船舶建造技術では、アジア各国がアメリカをしのいでいた。また、国防予算は中東での地上戦に集中していて、一隻七百億ドル以上の軍艦をまかなうことができなかった。海軍は当初、Zの同型艦を三十二隻購入する予定だった。二〇〇八年になると、一隻もほしがらなくなった。〈ズムウォルト〉と姉妹艦二隻だけは、やがて購入が認められた。それも、Zプロジェクトを完成させないと、その他の海軍の発注すべてに議事妨害を行なうと、調達委員会の有力上院議員が脅したからだった。といっても、Zを救いたかったわけではない。その女性上院議員は、選挙区にある造船所の廃業を回避しようとしたのだ。

造船所から生まれた軍艦は、たしかに革命的だったが、なにしろはじめて取り付けられるようような装備ばかりだったので、それにともない、ありとあらゆる奇妙な不具合に苦しめられた。海上でも不安定だった。システムの故障が多かった。推進システムが突然停止したり、じゅうぶんな出力が出なかったりした。奇抜な設計の船体は、継ぎ目がきちんと合っていないために漏水した。それに、新造の軍艦がきわめてすくなかったために、Ｚの武装になるはずだった画期的な新兵器も、搭載されなかった。

　ダーラン事件後の財政危機で国防予算が大幅に削減されたとき、海軍上層部はよろこんでＺを早期退役させ、ゴースト・フリートに送り込んだ。まだ建造中だった姉妹艦一隻は、装備を取り払われ、ヴァージニア州ニューポート・ニューズの工科大学で、海上機械工学実習所になった。もう一隻は、新世代の艦上戦闘ロボットの試験に使われている。

「艦長、乗組員、ミサイル駆逐艦〈ズムウォルト〉、全員集合、観艦準備よし」

　シモンズは、観艦のために集合している水兵と民間人エンジニアの列に沿い、ゆっくりと進んでいった。ひとりひとりに自信に満ちた挨拶をして、激励する笑みを向けた。副長のホレイショ・コルテスが、シモンズに従っていた。用心深い足どりで、付けたばかりの左脚の義肢と左腕の義手が、ときどき水密戸の縁にひっかかっていた。

「副長《XO》、本艦の状況は？」歩きながら、シモンズはきいた。

「システムの消去と再書き込みは進んでいますが、汚染されていない未試験のハードウェアの取り付けと同時にやるのは、いよいよ難しくなってきました」と、コルテスはいった。海軍は遅ればせながらハードウェアへのサイバー攻撃に神経質になっていて、〈ズムウォルト〉の疑わしい戦前のシステムを取り外して廃棄するよう命じていた。Zをはじめとするゴースト・フリートの艦艇は、数年のあいだ改良を受けていなかったのに、それが突然、海軍の兵力として頼られるようになった。「なにしろ新旧の装備を混ぜ合わせなければならないわけですから」

そのとき、シモンズが不意に立ちどまり、さっと向きを変えて、おなじ背の高さの男と顔を突き合わせるようにした。ならんでいる水兵たちが、すこし身をかがめて、艦長がなぜ足をとめたのかを見ようとした。

「コルテス」シモンズは見るからに腹を立てていたが、それを押し殺して、副長のほうをふりかえった。

「はい、艦長?」コルテスがいった。

「乗組員名簿を見なかったのか?」シモンズはきいた。

「見ました、艦長。資格と経験の組み合わせをもとにした、NAVSEA選抜アルゴリズムが使われています」コルテスがいった。艦長を見てから、その前の高齢の水兵に視線を移した。VIZグラスからピンクとブルーの光がひらめいた。コルテスはそれを使って、グーグルのピープルビュー・ソフトウェアの暗号化バージョンにより、海軍の記録にアクセスできる。それで名前を思い出すことができるわけだが、ふたりの顔を見比べると、そのプログラムを使うまでもないとわかった。コルテスはにやりと笑いそうになったが、咳払いをするふりをして、義手で口を覆ってごまかした。海軍のアルゴリズムは、マイケル・シモンズ上等兵曹を息子が艦長をつとめる船に配属するのは適切だと判断していた。

ハワイ特別統治区　オアフ島　ヘレイワ

女は汚れた手で、サンドイッチ用のポリ袋をあけた。ブルーとグリーンの赤ちゃん恐竜のシールが貼ってあるのを見て、ぞっとして身ぶるいした。取り出したガレージ用リモコンに手の泥がついた。黒いTシャツで拭こうとしたが、汗と泥にまみれたTシャツでよけい汚しただけだった。

やめなさい。きれいでなくてもどうでもいい、と心のなかでつぶやいた。電池にはまだ電気が残っている。肝心なのはそっちだ。

そばに伏せている男に、顎をしゃくった。ライフルに取り付けたGoProカメラで撮影を開始しろという合図だった。

女は息をこらして、〝開〟ボタンに親指を置いた。

息を吐く。

「敵がひとり残らず阿鼻叫喚のうちに死ねばいい」といった。前に見た劇の台詞で、きょうはそれが似つかわしく思えた。

発信。

一〇〇メートル離れたところで、IED（簡易爆破装置）四発がつづけて起爆した。車列の先頭から最後尾へと、順繰りに爆発した。先頭の〝狼〟装輪装甲車が、炎に包まれてひっくりかえった。あとの三両は、燐の炎に捲かれて消滅した。最後の一両は無傷で、運転手がダッシュボードの下に潜った。

キャロライン・〝コナン〟・ドイル米海兵隊少佐は、リモコンをサンドイッチ用のポリ袋に戻し、カーゴパンツのポケットに入れた。この手の戦争では、なにひとつむだにはできない。イエメンでMV‐22Kオスプレイ地上攻撃機の機長席から見た戦闘とは、まったくちがう。ここではどんなものでもほしいし、すべてが錆びていて、あらゆる廃品を利用しなければならない。必要な弾薬やスペアパーツを迅速に届けてもらうというわけにはいかない。それに、政府支給のコンバット・ブーツではなく、サンダルや運動靴をはいて戦っている。その一団は、占領された基地から逃げ出した者や、攻撃の日に運よく非番だった者から成っていた。

汚れた私服を身にまとった兵士たちは、自分たちがかつての敵の戦術を盗用し、残忍なテロ集団になりつつあることに、すぐさま気づいた。彼らが軍歴のほとんどを通じて戦ってきた相手だ。彼らの自称〝ノースショア・ムジャヒディン（北岸の聖戦士）〟――もしくはN

SM、時間がないときにはその略語をスプレーする――は、それに由来する。褒め称えたり、敬意を表するためにそう呼ばれるようになったのではない。とんでもないブラックユーモアだった。ゲームの〈ザ・サンドボックス〉でそんなことをしたら、友だちを何人もなくしていたはずだ。しかし、目的はおなじだった。敵が激しく憎む存在になり、どこの街角にも危険が潜んでいるようにする。消えることのない悪夢のような状況をこしらえる。ルールをいっさい守らない敵になる。

コナンは左腕をあげて、前方の装甲車のほうへふった。右手から二発がたてつづけに発射された。発砲したフィンは退役海軍通信兵曹で、アフガニスタンの米軍が増派されたときに、マルジャの前進作戦基地にいたことがある。フィンはM4カービンで、損害を受けていない装甲車の助手席側のサイドウィンドウを撃った。厚い防弾ガラスは持ちこたえたが、被弾の衝撃でクモの巣状のひびがはいった。

女性とはいえイラクとシリアでテロリスト捕縛作戦に参加して血の洗礼を受けた、第二五歩兵師団の憲兵二等軍曹ニックスが、トラックに向かって駆け出した。ステップに跳びのり、ライフルの床尾でひびのはいったガラスを何度も叩き、ようやく小さな穴があいた。ニックスは特殊閃光音響弾《フラッシュ・バン》を穴から運転台に押し込み、跳びおりた。特殊閃光音響弾が炸裂し、百万カンデラの閃光がほとばしって、一八〇デシベルの轟音が響いた。放棄された警察署から、SWATチームが急襲に使う手榴弾をひと箱、盗んであった。特殊閃光音響弾は本来は非殺傷兵器で、ターゲットは気絶したり朦朧としたりするだけで、怪我はしないはずだった。ただし、装甲車の運転台のような狭い場所で使われたら、そうはいかない。

ニックスがまたステップに跳びのり、ウィンドウの穴からライフルの銃身を突っ込んで、片方の死体をつつき、一発撃ち込んだ。

「掃討《クリア》!」ニックスが叫んだ。耳栓をはめていたので、思ったよりも大きな声になっていた。

「なにかありましたか?」装甲車の後部をあさっているコナンに、フィンがささやいた。

「まだなにも。探してる」コナンはいった。

フィンは時計を見た。無人機《ドローン》が来るまで、あと二分しかない。ここははじめて伏撃をかけた場所なので、もうすこし時間が稼げるかもしれない。護衛なしの車列を走らせたのは、襲撃されないと中国軍が思ったからかもしれない。あるいはおびき寄せるための罠かもしれない。それに、伏撃対応部隊が到着する前の貴重な時間を無駄にしている。

「自転車を取ってきます」ニックスがそういって、森に姿を消した。「もうここを離れないと」

靴箱ほどの大きさの容器をふたつ持って、コナンが装甲車の後部から出てきた。

「ぜんぶブルー(アンフェタミンの錠剤)?」フィンがきいた。

「だと思う」コナンはいった。「グリーン(マリファナ)とレッド(鎮静・催眠剤)もあるかもしれない」

「この際、なんでも持っていきましょう」と、フィンがいった。

しみだらけのウールの毛布をかけたマウンテンバイク二台を押しながら、ニックスが森から出てきた。鼻から汗がしたたっている。

「なにをぐずぐずしているんですか?」ニックスがいった。

「なにも。行くわよ」コナンはいった。「ほかの装甲車には?」

「弾薬がすこし、ナノプレックス爆薬の塊がすこし、プロテインバーがすこし」フィンがいった。

「それでじゅうぶん。今回は撮影が目的だから」コナンはいった。NSMは、自転車で移動できるときには自転車で移動し、それが無理なときには徒歩で移動していた。ひと晩ゆっくり休んだり、ちゃんとした食事をとったりする時間はない。だが、必要なものはすべて、装甲車の後部にあった金属容器にはいっている。

「遊びの時間は終わりよ、子供たち!」コナンはどなった。「学校に戻りましょう!」

国防総省　四階Bリング

ビル・〝恋人《スウィーティ》〟・ダーリン中佐は、航空機搭乗員として、仕事人生のほとんどを水平線を追って暮らしてきた。だが、海軍本部の幕僚としてペンタゴンに勤務するようになると、空が見えるありがたみがわかっていなかったことに気づいた。もう二週間も陽の目を見ていない。

いや、じつは一度だけ見た。一週間前、工事のために遠まわりをして、中庭を通らなければならなかった。昼間なので空のどこかに太陽があるとわかっていたが、カイコの繭《まゆ》みたいに建物全体をくるんでいる細かい網目の偵察防止ネットに隠れていた。軍需産業のオフィスビルが多い隣り街クリスタル・シティと、さまざまなものを梱包した作品で名高い芸術家クリストをもじって、クリスト・シティという綽名がささやかれるようになっている。

だが、仕事がいくら過酷でも、食事をしないわけにはいかない。パイロットだったからかもしれないが、ドローンに出前させるのは沽券にかかわると、ダーリンは思っていた。ラップをかけた料理やサンドイッチを詰め込んだハチの巣みたいな容器を持ったiロボット・メジャードーモの列が、ブーンとうなりながらそばを通ったときに、どこかに一線を画さなければならないと、心のなかでつぶやいた。

海軍情報部の新オフィスの入口前にある自動販売機のそばで、ジミー・リンクスが待っているのが見えた。ふたりは海軍士官学校以来の知り合いだが、職歴はまったく異なる。ふたりとも国防総省に勤務するのは好きではなかったが、数分いっしょに歩くだけで慰め合うことができた。

「あなた《ダーリン》、待ってなくてもいいのに」古いコマーシャルの主婦みたいな口調で、リンクスがいった。

「ネタが古い」と、ダーリンはいった。

「きょうのお客さんは厳しいね」リンクスがいった。「行こう。あと六十秒したら、この自動販売機を背負っていこうかと思ってた」

ダーリンは、自動販売機の指の脂で汚れたガラスを覗き込んで、溜息をついた。

「あの〈スニッカー〉とマンゴー・スクイーズ二個で、何時間か栄養がもつだろう」ダーリンはいった。

「飛行士っていうのは、おかしなものが好きだよな」リンクスがいった。

ふたりは歩きだし、数歩行ったところで、リンクスが足をとめた。「しまった、財布を忘れた」

「取ってこいよ。おごらないぞ」ダーリンはいった。

「いっしょに来ないか。前に話をしたＤＩＡ（国防情報局）の新人アナリストを拝ませてやろう」リンクスがいった。

「その女を食事に誘わなかったのか？」ダーリンはきいた。

「おれはいっしょに仕事をしてるからな。あんたが墜落炎上するのを見てるほうがいい」

リンクスが先にオフィスにはいった。まず虹彩スキャンを受け、アクセス・カードを読み取り機に通し、最後に暗証番号を打ち込んだ。機密扱いの区画にふたりがはいると、うしろでドアが磁力によってカチリとロックされた。

ふたりは内側のドアを通った。曇りガラスにステンシルで〝非音響対潜作戦研究班〟と描いてある。ドアのノブには、真新しい乾式壁《ドライウオール》の埃がついていた。

無味乾燥な狭いオフィスに、リンクスがはいっていった。飾りといえるのは、画鋲で留めたオアフ島の３Ｄ地形図と、口紅のついた中国製の大気汚染除去マスクだけだった。

「ここで魔法が起きるのか？」ダーリンは、冷ややかにきいた。

「あいにくだけど、ここでちょっとした魔法が起きているんだ」リンクスが、重々しくいった。「やつらがわれわれの潜水艦をどうやって追跡しているのか、いまのところほとんど手がかりがない」大西洋上で空母を破壊した最初のミサイル攻撃は、艦隊にとって衝撃的だったが、米海軍の潜水艦を敵が発見して破壊した手順は、さらに不可解で、激しい動揺をもたらした。アメリカのインテリジェンス・コミュニティ（すべての情報機関をひっくるめていう言葉）は、中国が水上艦の構成を掌握しつつあることは知っていたが、水中では非対称的な優位を握っていると確信していた。冷戦以来、アメリカの潜水艦は、発見されたくないと思えば発見されなかった。だが、敵はなんらかの方法で海を透明にしてしまい、アメリカに圧倒的優位をあたえるはずの潜水艦部隊は、全滅の危機にさらされている。

ダーリンは、リンクスの重い気持ちを察して、腰をおろし、静かにいった。「もうちょっと詳しく聞かせてくれ」

「どこから話をはじめればいいかもわからない」リンクスがいった。「だいぶ前の訓練のときに講師がいったことを、ずっと考えてるんだ。その講師はCIAの大ベテランで、冷戦中と9・11後にアフガニスタンへ行ったことがある。情報の仕事はジグソーパズルを解くようなものだが、箱の絵がないので正解がわからない、といってた。それに、一度に手にはいるのは、ごくわずかな数のピースで、ぜんぶ揃っているわけじゃない。さらに悪いことに、べつのパズルのピースが、つねにいっぱいまぎれ込んでいる」

「まず探知、それから照準だろう」ダーリンは、水を向けた。

「逆にたどって、どうやったのかを読みとろうとする作業は、ずっとつづけている」リンクスがいった。「中国が自分たちの潜水艦を使って、われわれの潜水艦を跟《つ》けていたという意見がある。なぜかつねに追跡に気づかなかったのだと」

中国の弾道ミサイルで原潜〈ジョン・ウォーナー〉が撃沈されたときのことを思い出し、ダーリンは座ったまま身をこわばらせた。

「ありえない」ダーリンはいった。「われわれが追跡していた中国の潜水艦は、〈ウォーナー〉とはかなり離れていたから、精密な追跡ができたはずはない。それに、通信が行なわれた形跡もなかった。中国の潜水艦が〈ウォーナー〉の位置を海南島に無線連絡したのなら、われわれが探知していたはずだ。だいいち、敵潜はわれわれの追跡から逃れようと必死になっていた。ストーンフィッシュが発射された時点では、沈みかけていた。おれたちが撃沈した。それはたしかだ」

「あんたたちの通信網を使って、〈ウォーナー〉の位置をつかんだか、それともＡＴＨＥＮＡに侵入していたんじゃないか?」リンクスが質問した。「そんな形跡を探知していないか?」

「いや、なにも探知していなかった。何年か前に、バンゴールで漁船がトライデント弾道ミサイル搭載原潜をしじゅう探知するということがあっただろう。ああいう環境センサーからのビッグデータが使われた可能性は考えたか? あるいは宇宙からの水中探査は? ＩＲ(赤外線)かベルヌーイ効果(流速が増すにつれて流体の圧力が減少すること)の追尾は?」ダーリンはいった。「それとも霊応盤《ウイージャ・ボード》か?」

「そういったことはぜんぶ調べた。環境センサー説は却下。前もってセンサーを配置する必要がある。その痕跡はないし、中国はわれわれの潜水艦がどこへ行こうが探知している。アリューシャン列島でその理論を実証しようとして、〈オレゴン〉が犠牲になった。宇宙からの探知はありうる推論だが、それを中国がどうやっているのかは、だれにもわからない。水中探知の方法として、われわれＮＡＡＳＷ(非音響対潜作戦)研究班は合成開口レーダーも調べている」リンクスはいった。「冷戦中、ソ連の弾道ミサイル原潜追跡に使おうとしたんだが、うまくいかなかった。それに、太平洋のような広さの海を宇宙から監視するには、かなりのエネルギーを発しなければならないから、われわれが探知していたはずだ」

「逆から考えたらどうだ?」ダーリンはいった。「潜水艦の船体の磁気探知は? Bリングの便所で発足させたアナリスト部門では、ありうる理論になっている」

「いや、それも冷戦時代の技術で、ためして失敗に終わっている」リンクスはいった。「宇宙から探知するのは不可能だ。そんな長距離で金属を見つけようとしたら、後方散乱が大きくなりすぎる。ストーンフィッシュの弾頭が、海底のありとあらゆる金属片を探知してしまう。それから、やつらが原子力潜水艦と原子力空母は追跡できたのに、護衛艦の精確な位置をつかめなかったのも不可解だ」

「護衛艦には、手間をかける価値がなかったんじゃないのか? 中国のミサイルの数が限られていたんだろう」ダーリンはいった。

「ありえないね。イージス艦を一隻残らず撃沈できたのに、ケチケチするわけがないだろう」と、リンクスが応じた。

「だとすると、やつらには、原子炉を追跡するなんらかの方法があることになる」

「そうだ。そうなると、インテリジェンス・コミュニティ内部でわれわれがいう、〝ふりだし〟に戻ったわけだ」リンクスがいった。

「となると、原子炉にどんな特性があるかが、重要な問題だ」ダーリンはいった。「超長距離から原子炉を見つけるには、原子炉が発するものを収集できなければならない。しかし、探知できるのは低レベルのチェレンコフ放射ぐらいのものだろう」

「いまなんていった？」リンクスが、あわててきいた。

「チェレンコフ放射」ダーリンはいった。「さては、士官学校の原子物理学の授業で居眠りしていたんだな？　そのために原子炉は青く輝くんだ。核反応のまわりの物体において荷電粒子がさまざまな光速で運動する、というようなことだったかな。チェレンコフというロシア人が、百年くらい前に発見した。それでノーベル賞を受賞したんだ（一九三四年にチェレンコフが発見、その後、発生原理を三人で解明し、一九五八年にノーベル物理学賞を共同受賞）」

「《スタートレック》だ。おれも馬鹿だな」リンクスが、ひとりごとをつぶやいた。ふるえる手で、財布をデスクにほうり出した。「ランチはおれのおごりだ。急がないと。思いついたことがある」

「どうでもいいけど、ＤＩＡアナリストは美人なんだろうな」ダーリンが財布を持って、立とうとしたとき、表の厳重なドアが重い音をたてて閉まった。

ハワイ特別統治区　オアフ島　ワイキキ・ビーチ　モアナ・サーフライダー・ホテル

「ミズ・シン、こっちへ来てもらえませんか？」警衛の中国語を、通訳機が英語に直した。

警衛は男だったが、通訳機はデジタル化された音声を、話しかけた相手の性別に合わせるように設定されていた。それがジョークなのか、それとも、武装した無愛想な警衛の通訳機から女の声が聞こえたほうが、男の声よりも安心できると、中国の科学者が考えたのだろうか。

「わかった、わかった」キャリーはいった。両腕を横にのばし、仰向いて、十字架にかけられているような姿勢になった。長い髪がウェストまで垂れた。

「あなたには追加の確認手段を行ないます」中国の海兵隊員がいった。身長はキャリーと変わらないが、筋肉は二倍もある。ニキビと太い首を見れば、どういう手段で筋肉をつけたかがわかる。中国の海兵隊員は、ほとんどおなじような外見だった。

「わかってくれますね？」通訳機がいった。

「ええ」キャリーはいった。

「中国は協力に感謝します」通訳機がいった。最近よく通訳機から発せられる文句だった。警衛がじっさいにそういったのか、それとも自動設定の決まり文句なのか、キャリーにはわからなかった。

薬品にひたした脱脂綿で腕と脚を拭かれ、くすぐったかった。クモにまさぐられているみたいだった。

「終わりました」通訳機がいった。

キャリーは目をあけた。脱脂綿は赤くなっていなかった。爆発物を検知すると赤くなる。

その代わりに、薄茶色になっていた。土のような物質がなんなのかがわからず、警衛は不思議そうに脱脂綿を見た。

「いいのよ」キャリーはいった。「腕にファンデーションを塗ってあるの。お料理をするときに切ったから」頬を手ではたいて、ファンデーションをつける仕草をしてから、笑みを浮かべた。

通訳機がそれを警衛に伝え、警衛がうなずいて、口ごもり、キャリーに聞こえない言葉をつぶやいた。

「ご協力ありがとう」通訳機がいった。そのときにはもう、警衛は列のつぎの人間のほうを向いていた。

腕のかさぶたを無意識にさすりながら、キャリーは気持ちを落ち着かせて、ゆっくりと離れていった。バス停での検査ほどひどくはなかった。バス停ではかがんで、警衛のベルトの通訳機とじかに話をするように命じられた。通りの向かいのワイキキ・ビーチがちらりと見えて、一瞬、フィアンセと、彼の誕生日に夕陽を見ながら散歩したことを思い出していた。あの晩はずっと風が出ていた。

タイヤのゴムがうしろでアスファルトの路面をギシギシとこすり、キャリーは追憶からわれに返って、右の歩道に跳びのった。人員輸送用のハイブリッド・電気〝狼〟装輪装甲車が静かに通り、屋根の機関銃に配置されている中国海兵隊員が、ぎこちなく手をふった。

キャリーはアドレナリンを分泌させながら、ホテルのひろびろとしたエントランスの四本柱のあいだを目的ありげな大股で通り、蒸し暑いのに身ぶるいした。

戦前には、通用口を出入りしなければならなかった。白く輝くこのホテルは、一八九八年にアメリカがハワイを併合した直後に、ハワイの王族が所有していた土地に建てられた。だから、客と従業員の両方にメイン・エントランスを出入りさせるのは、セキュリティのためだけではなく、アメリカ人とはちがって中国軍はハワイの〝真の〟市民を尊重しているというプロパガンダの一環だった。中国は、ハワイの先住民をおおいに贔屓しているというわけだった。しかし、先住民であろうと、ハパ（混血）であろうと、アメリカ本土の人間であろうと、街路の検問チェックポイントを通らなければならない。

ハードウッド敷きのロビーにはいると、中国軍の歩兵、水兵、海兵隊員、何人かの民間人が、くつろいで酒を飲み、おしゃべりをしていた。ここが上陸許可をもらった将兵のたまり場だった第二次世界大戦のころとおなじだ。キャリーはロビーを通って、裏のベランダへ行った。スポーツ用品をレンタルする持ち場から海を見ることはできないが、波音は聞こえる。それがなによりたいせつだった。

「すばらしかったよ」男の声が聞こえ、キャリーを物思いから引き戻した。男は通訳機を使わずに、英語を話していた。「ほんとうに上手な人間には、最高のスポーツにちがいない」

まだ濡れているロングボードを、男は壁に立てかけた。ちょっと下がって、倒れないことをたしかめるあいだ、すこし黙っていた。

「一時間で上達したようなら、見込みがありますよ」キャリーはいった。「かなりうまくできたんでしょうね」

「ボードに乗ってないで、そばを泳いでたほうが長かったよ」と、その士官がいった。腹筋が浮き出て、みるからに締まった体つきだったが、海兵隊の連中とはちがって、薬物で筋肉をつけた体ではなかった。髪は短く刈りつめてあったが、粋な感じだった。軍で十把一絡げにバリカンで刈られたのではなく、理髪師の手によるものだろうと、キャリーは憶測した。

「王さまたちのスポーツは、万人向けじゃないもの」ウィンクをして、キャリーはいった。「お客さまにいろいろきいてはいけないことになっているんですけど、英語はどこで憶えたんですか？　ずいぶん上手ですね」

「UCLAに決まってるじゃないか」士官が、UCLAの校歌に添えられる二本指の手ぶり（左右の人差し指で自分を示すしぐさ）をした。

「クマちゃんたちね（UCLAのマスコットのジョーとジョセフィーン）」かすかな笑みを浮かべて、キャリーはいった。

「ねえ、レッスンしてもらえると、ほんとうにありがたいんだ」士官がいった。「ごめん、自己紹介しなきゃいけなかった。おれは呉 鋒《ウー・フォン》、UCLAの友だちには、フランクって呼ばれてた」

キャリーは、タブレットを見おろした。

「ホテルのインストラクターのレッスンを組めますよ。みんなすばらしいです。何人かは、この前はプロでした」キャリーはいった。

フランクと名乗った士官が身を乗り出し、カウンターに海水がポタポタと垂れた。

「きみはすばらしい先生なんだろうね」フランクがいった。

「いいえ、そんなに上手じゃないの……」キャリーは断ろうとした。

「レッスン代は払うよ。それとも配給券がほしければあげるし、ほかのなんでも」

キャリーは、腕のかさぶたを軽く押さえた。

「そういうものはいりません。お客さまを手助けするのも、わたしたちの仕事ですから」キャリーはいった。「みんなお客さまの役に立つことをやるんです。ただ、経験が豊富なひとに教えてもらったほうがいいかなと思って」

「いつ会えばいいかな？」

「月曜日の夜は、離岸流のぐあいがいちばんいいはずです」キャリーはいった。うなじが覗くように、すこし首をかしげた。

「だいぶ先だね、あしたの夜はどう？」フランクがいった。

キャリーは笑みを向けて、フランクの目を見つめた。

見つめられて感動したのは、キャリーが美しいからばかりではなかった。フランクがハワイに来てから、はじめて目と目を合わせたからだった。現地の人間はみんな、屈辱と恐怖の入り混じった気持ちで、アイコンタクトを避けた。キャリーには、そういうところがなかった。その代わり、ただ――ふつう、とでもいうのか？　いまはもう懐かしい思い出になっているアメリカの女の子たちと、よく似ていた。

「わたしの生徒になるのなら、信用してくれないとだめよ。こんどの月曜日に会いましょう。満月になるはずだし、すごくすてきよ」キャリーはいった。「いいところを知っているの。静かだし、島のこっち側ではいちばんいい波が来るの」

「約束だよ、それじゃ」と、フランクがいった。

メア・アイランド海軍造船所　ミサイル駆逐艦〈ズムウォルト〉

いま海から見たら、〈ズムウォルト〉は浮かぶ死神ではなく、旧インドネシア共和国の河口にあった水上生活者の町みたいに見えるにちがいないと、ジェイミー・シモンズは思った。彼らはトタン板やプラスティックや木の板をつなぎ合わせて、考えられないような多面体の家をこしらえていた。

エヴァンジェリン・マレー海軍中将がZのことをどう思っているのか、シモンズには見当がつかなかった。海上から〈ズムウォルト〉を視察するあいだ、マレーはほとんど口をきかなかった。だが、視線はたえず動かしていた。自分がやろうともしないようなやりかたで、Zのことを理解しようとしているのだと、シモンズは感じた。マレーが内火艇を船体に近づけさせ、治療師《ヒーラー》みたいに両手を艦に当て、目を閉じたこともあった。なにを聞き、なにを見たのか、さっぱりわからない。わかっているのは、マレー中将が海軍でならぶもののない権勢をふるっているということだけだった。戦前には、女性としてははじめて空母打撃群を指揮していた。さらに重要なのは、開戦の時点では海軍軍学カレッジの学長だったため、ストーンフィッシュ・ミサイルと、上層部多数が解任された議会査問委員会の両方をまぬがれたことだった。

マレーが、内火艇を桟橋に戻すよう合図した。

「大佐、乗艦する前に、あなたに会えて光栄だといっておきたい」マレーがいった。「いま、この国には、わたしたちにいい刺激をあたえてくれる英雄は何人もいない。あなたのリーダーシップと経験には、計り知れない価値があるし、よしんばこの艦がうまくいかなくても、あなたの才能が無駄にならないよう、わたしが取り計らいます」

「ありがとうございます、提督」シモンズはいった。

「それどころか、あなたのような人材は、いまはここにいるよりもワシントンDCにいるほうが役に立つといわれたのよ」マレーがつづけた。「だれも生き延びられなかったときに、あなたは生き延びた。戦争遂行にあたって、そのことにはたいへんな価値があるから」

シモンズは、まじろぎもしなかった。マレーと視線を合わせたままでいた。白か黒かを決める一瞬だ。リンゼイか海か。安全か責務か。

「おっしゃるとおりです、提督。わたしはここにいるべきではありません」

マレーがうなずき、眉根を寄せた。

シモンズは、ゴールデン・ゲート・ブリッジを指差した。「提督、この艦であろうと、どの艦であろうと、海に出ていなければなりません。戦いが行なわれているところに」シモンズはいった。「そこがわたしたちの本領です」

思わずそういってから、父親の意見なのか、それとも自分の考えなのかと、ふと考えた。

マレーが小妖精じみた笑みを浮かべ、黄ばんだ歯が見えた。彼女ぐらいの齢になると、入れ歯にするか、それともホワイトニングをするものなので、めずらしかった。「まったくそのとおり」マレーがいった。「では、そろそろ乗組員を紹介して」

現在行なわれている作業を邪魔したくなかったので、提督が乗艦することは報せなかった。

「わたしが感心したことのひとつは、このカムフラージュよ」第一甲板を歩きながら、マレーがいった。

「カムフラージュのように見えますが、じつは足場も防水布もぜんぶ必要なんです。艦全体を一気に分解しなければならなかったので」シモンズは説明した。

足場に乗っている乗組員の一団――十代のものもいるが、あとはかなりの年配だった――

に近づくと、マレーがきいた。「乗組員について話して。新しい組み合わせはどう?」

「世代を混ぜ合わせるのには、利点も欠点もあります。開戦日前の艦隊の乗組員もいます。わたしは前の乗組員のなかで優秀なものを選ばせてもらえました。提督のおかげでしょう。それから、海に出ることはおろか、海を見たこともない徴集兵もいます」シモンズはいった。「でも、コンピュータについては詳しい。彼らは、正規の水兵や、生まれたときから、なんらかの形でVIZにかかわってきた連中です。彼らは、海軍で開戦を経験した水兵とも異なる目で問題を見ます」

シモンズは、艶消しチタンのアップル・グラスで一部が隠れているが、顔に刺青を入れている十代の若者ふたりを指差した。ふたりは訓導乗組員のひとりと話をしていた。

「それから、提督、きわめて経験豊富な水兵もいます。湾岸戦争前に海軍に入営したものも多い」シモンズはいった。「若い水兵の歴史観からすれば、あらゆる面で、ノアの方舟にでも乗り組んでいたように思えるでしょうね」

「わたしたちはみんな、ある程度の調整が必要になる」マレーが意見をいった。「海軍にいる人間だけではなく、いまはどこでもおなじよ。数カ月前には、おたがいになにも縁がなかったひとびとが、いまではいっしょにやらざるをえない。コンドミニアムの家庭菜園で野菜を育てたり、造船所でいっしょに働いたり。結局、訓導制度はうまくいっているの? よその艦の報告には、だいぶ食いちがいがあるのよ」

「〈ズムウォルト〉では、じいさんたちと呼ばれていますよ。わたしも疑問は持っているんですが、年配の連中はみんなの尻を叩いて、一所懸命働かせています。それよりもだいじなのは、じいさんたちがだれよりも古い技術や秘訣を知っていることです」

シモンズは、マレーを艦尾へ案内した。

「人間とテクノロジーは切り離せないものです。しかし、肝心なのは古い装備だけではありません。艦内のワイヤレス・ネットワークの改善によって、ATHENAの代替システムを動かすのに役立つだけではなく、ネットワーク攻撃に対する防御も強化されました」

「ローカル・ネットワーキングは、必要不可欠になるでしょう。それに専念して」マレーがいった。

「これが巡航ミサイル垂直発射機です」シモンズは、案内をつづけた。

「ミサイル庫の格納能力は？」マレーが質問した。

「現在では八十基です」シモンズはいった。「海軍研究所がまだ新しい目標選定システムを開発しているところなので、それをどうするのかを考え直さなければなりません。GPSが使えないので、巡航ミサイルには必要な打撃力がない。本艦を有効な兵器にするためには、巡航ミサイル庫のスペースを対空ミサイルに割り当てざるをえないでしょう」

マレーが身を乗り出した。「GPSに代わるものは、何年も前から研究されていたけれど、結果はおなじだった——うまくいかない。いま使えなかったらなんにもならないのに、間に合いそうにない。だから、あなたの方策が正しいでしょう。命中精度が落ちる分は、数でおぎなう。攻撃能力が高い装備に、そのスペースを使う。火力はできるだけ多いほうがいい」

ふたりは防水布をくぐり、ハチの巣みたいな表面の青みがかったグレーの箱の前に立った。金属の嵐《メタル・ストーム》と呼ばれる一種の電子機銃で、一本の銃身から弾丸を一発ずつ撃ち出すのではなく、ハチの巣状にならんだ連装銃身に、縦一列に弾薬が込められている。弾薬は電子的に発火され、ローマ花火を束ねたみたいに、一気に撃ち出される。

「近接防御にはメタル・ストームと、ブリッジの上のレーザー砲塔二台を装備しています」シモンズは説明した。「単一のターゲットは指向エネルギー兵器で邀撃し、メタル・ストームは一連射で三万六千発を発射して、文字どおり弾幕をこしらえます」箱をそっとなでた。

「反応時間を速めるために、若い連中がソフトウェアをいじりました」

「そのソフトウェアのコードを艦隊にひろめてちょうだい——開発をどんどん速めなければならないのよ」

「問題は、それがどれほど効果的であるかです。それから、防空ミサイルをどれほど積めるか」シモンズはいった。「シミュレーション・モデルでは、予想される結果はかなり広い範囲にばらついています」

「わたしのいいかたが曖昧だったかもしれない」マレーがいった。「艦の攻撃能力と防御システムを天秤にかけるときに、両方の選択肢を温存したいというのはわかるの。だけど、わたしが必要とすることにおいては、それだとどっちつかずになる。わたしたちが〈ズムウォルト〉を使うときには、戦艦になったつもりでいてもらいたい」

「提督、これは戦艦ではありませんよ。とにかく、みんなが考えるような昔の意味ではちがいます」シモンズは、意識して声を落ち着かせようとした。またマレーに試されている。

「砲熕兵器が大口径で、重量もかなり重いものでないと、戦艦とはいえません。一六インチ砲にくわえ、厚さ一六インチの装甲がなければならない。痛烈な打撃をくわえられるほど大きく、痛烈な打撃に耐えられなければならない。たしかにZは艦隊でもっとも大きい水上戦闘艦ですが、そんな打撃には耐えられません。先制攻撃をやり、遠距離から敵艦を撃沈しなければならない」

「そのとおり」マレーが答えた。テストに受かった。「では、それをどうやるのか、説明して」

　ふたりは、当初、一五五ミリ単装砲二基が据え付けられるはずだったところへ歩いていった。軍艦に搭載されるなめらかな形状の砲塔ではなく、角張った大型トレイラー・トラックみたいな形のものに、作業員が取り付け部分を溶接していた。〝急いては事を仕損じる〟という開発計画の標語が、その側面に描かれていた。

「これはダールグレン海上戦術センターにあった古い試作品ね？」と、マレー提督がきいた。

「そうです。Z級が早期退役して、プログラムが中止になったあと、部品がいくつか紛失しましたが、大部分はそっくりそのまま残っていました。ヴァージニア州から鉄道で運びました」

「だからあなたがここにいるわけね、大佐。電磁レイルガンが機能すれば、艦隊の勝敗を左右するでしょう。ことによると、戦争全体の勝負の流れを変えるかもしれない」と、マレーはいった。

レイルガンは転換点だった。弾道学の八百年の歴史を捨てることになる。レイルガンは、火薬の化学反応によって金属製の物体を長い砲身から撃ち出すのではなく、電磁が発生するエネルギーを利用する。砲身の両側のレイルを逆位相の強力な電流が流れる。電導の発射体(末端が電源とつながれている)がレイルのあいだに差し込まれると、回路ができあがる。爆発する火薬がガスを噴出させ、通常の砲から弾丸を撃ち出すように、閉回路内の磁界がとてつもないパワーを噴出する。ローレンツ力と呼ばれるこの力が、砲口から発射体を撃ち出す。信管に点火する必要はないが、レイルガンは信頼できる膨大な電力を必要とする。電力がなかったら、レイルガンを搭載した軍艦は、火薬庫が水に浸かった十九世紀の戦列艦とおなじように無力になる。

「パールで使えれば、ほんとうに役立ったはずです」シモンズは、〈コロナド〉の貧弱な単装砲を思い出していった。

「想像はつく。でも、あんな殺戮地帯に閉じ込められるようなことは、二度とくりかえさないようにするつもりよ。艦隊決戦でレイルガンがどういう効果をあげると予想しているの？」

「速度と射程に利点があります。砲弾を秒速二五〇〇メートル以上の初速で撃ち出し、一八〇海里の射程でターゲットに命中します。二重の利点になります。ミサイルよりも速く、ジャミングも撃ち落とすことも不可能です」

マレーはうなずいたが、もっと詳しい説明を待っているようだった。

「しかし、さらに重要なのは威力です。砲弾は小さいですが、高速なので、かつての〈アイオワ〉級戦艦の主砲の砲弾なみの力があります。自動車ほどもあるといわれた、あの馬鹿でかい砲弾ですよ。それから、長距離対艦ミサイルには、破壊力と照準に問題がありましたが、それも解決されます。GPSによる精確な射撃諸元がなくても、ターゲット群を無力化するような散布帯射撃を行なうことができます。昔の戦艦がもっとも得意としていた分野です」

「開発中、わたしたちはそれを神の手と呼んでいたのよ」と、マレー提督がいった。「当時わたしは下級士官で、国防総省に海軍参謀として勤務していた。N-9戦闘システム。レイルガン開発計画のことは憶えている。士官たちは、パワーポイントのブリーフィングよりもすごいものが現われたと思ったものよ。かっこいい名称だったけど、予算削減のときには、やはり削られた。あのころは熱と電源の問題に悩まされていたけれど、それにはどう対処しているの？　戦闘の最中に溶けた砲身を交換するわけにはいかないでしょう」

「熱については、対策がふたつあります。まず、そのころ問題が起きた砲身とおなじではありませんが、熱を拡散するナノ構造が使われています。もちろん、それでも用心しなければなりません。電力変動発作とわれわれが呼んでいる状態でも発射できます。電力管理のほうが複雑ですし、正直いって、提督、わたしはそっちを心配してます。レイルガンには、小さな都市が使うような大量の電力が必要です。〈ズムウォルト〉はそれを考慮して設計されているはずですが、安請け合いは当てにならないともいいますからね」

レイルガンの設計の根幹をなす電磁発射力に必要な、とてつもない量の電力を発電して蓄える――蓄電のほうが重要なのだ――ことができる電力システムを持つ水上艦は、〈ズムウォルト〉しかない。〈ズムウォルト〉級開発が中止されたあと、あれほどもてはやしていたレイルガンを海軍が捨てたのは、そのためだった。海軍の試作では、たとえこの新兵器に合わせて艦艇を設計しても、レイルガン発射のたびに、推進装置も含めた艦載のシステムからエネルギーが奪われることが予想されたからだ。

「以前、国防産業の研究施設で、わたしたちもみんなその問題に悩まされた」マレーがいった。「いまはどう対処しているの?」

「戦術と設計の見直しで取り組んでいます」弁解していると思われないように、シモンズは口調に気をつけながらいった。「戦術というのは、電力消耗を利点に変えることです。いってみれば、出力変化を探知防止手順に組み込みます。肝心なのは、さっきおっしゃったように閉じ込められるのを避けて、広い海に姿を消すことです。設計見直しという面では、新型のエネルギー密度が高い液体バッテリーを船舶用に製造して、好結果が出ています。もともと十九世紀に開発されたものですが、それよりもずっと強力な電力を提供してくれます。ウィスコンシン大学から、液体バッテリーが専門の女性研究者を呼び寄せてもらいました。はっきりいって、彼女の専門技倆に賭けられているものは大きいです」

シモンズは言葉を切り、マレーをまっすぐに見つめた。

「しかし、レイルガンは電力を食うというのが、明確な答です、提督。計画どおりにいかなかった場合、わたしたちにはまずい選択肢しか残されないだろうと、わたしは懸念していま す」

「大佐」階級を強調して、マレーはいった。「それは副長から艦長になったときに学ぶことなのよ。最善の選択肢を選ぶというようなことは、いっさいない。まずい選択肢の中からいちばんまずくない選択肢を選ぶことが重要なのよ」

その教訓が胸に刻まれるように、マレーは間を置いた。シモンズは、パール・ハーバーのあの日を思い出し、そのきわめて貴重な知恵は念を押されるまでもなく承知していると思った。

「大佐、わたしはあなたを信頼しています。それに、継子扱いされていたこの艦が活躍するだろうと信じている。わたしたちがかつてなら受け入れなかったようなリスクが、いまは軍務を果たす代償なのよ」マレーの目つきが荒々しくなり、年配の大学学長から戦士の面が覗くのをシモンズは見た。「この艦の戦闘準備を整えてほしい。出撃して、できるだけ早く、できるだけ多くの敵艦を破壊してほしい。中国軍にこれまでにない感情を味わわせる必要がある。恐怖をね。やつらが恐怖におののくようにするのよ、大佐。わかった？」

国防総省　地階Gリング

狭い会議室のドアが、低い溜息とともに閉まり、気圧が変わるのをそこにいたものすべてが感じた。ダイビングをしたことのある海軍士官は、鼻をつまんで耳抜きをしたが、やりかたを知らない民間人は逆に唾を呑んだ。

その秘密保全空間には、中国の盗聴とネットワーク攻撃を撃退する新設計がほどこされていた。帷幕会議室《タンク》と呼ばれた以前の統合参謀本部戦況報告室は、秘密保全が万全だと思われていたのだが、国防総省の発注を受けた企業がフロリダの下請け会社から安く仕入れたハードウェアによって秘密が破られていたことがわかった。その下請け会社は学生ふたりが経営するペーパーカンパニーで、中国のメーカーから仕入れたマイクロチップをそのまま卸していた。この新しい会議室は〝ボックス〟と呼ばれているが、じっさい箱のなかに箱を入れた設計だった。ナノ粒子を注入した壁と壁のあいだには、いかなる信号や電波も伝われないように高速で循環する液体が封じ込められている。その液体は放射性物質だという噂が立っていた。

「よし、それでは挨拶抜きではじめよう。だれだって、ボックスのなかで座っているのは、できるだけ短いほうがいいからな」海軍情報部部長のラジ・パットナム提督がいった。

ダーリンとならんで座っていたリンクスが、さっそく口をひらいた。「そもそものはじまりは、北京でした。大使館勤務が終わろうかというときのことです――じつは最後の晩、わたしの送別パーティでした。北京に長年駐在しているロシア軍将校がいて、わたしは親しくなり、ときどき情報をもらっていました」

「ときどきそいつといっしょに酔っぱらって、利用されたという意味か？」パットナムがいった。

「滅相もありません。この稼業のことはわたしも知っています」リンクスはいった。「騙されてはいませんが、わたしのＶＩＺやその他の記録を調べてもかまいません。パーティには付き物です。みんなチップを埋め込まれていたり、皮膚マイクやＶＩＺや、なんでも身につけているもので記録したりしています。ですから、興味を惹くようなことをそのロシア人がいうはずはないと、わたしは思っていました」

「ああ、そのパーティのＶＩＺはわたしも見た」パットナム提督がいった。「そんなことはいっていない」

リンクスは、自信なさそうなまなざしでダーリンをちらりと見た。つかのま沈黙が流れ、部屋の周囲を循環している液体の音が強まって、胎内にいるような心地になった。やがてリンクスが咳払いをして、話をつづけた。

「わたしたちの会話が興味深いのは、それまでのいきさつがあるからです。《スタートレック》の話をしたのはご存じですね。昔のテレビドラマと映画の両方の。セチンとはいろいろな話をしていましたが、SFのことは一度も話したことがありません。たいがい、董事会内部の政治や、だれがまもなく昇級するかといったようなことばかりです。だから、それが気になっていました」リンクスはいった。「《スタートレック》の登場人物のチェコフは、パーヴェル・チェレンコフという実在のロシア人科学者から名前をとったのですが、セチンはそのチェコフのことを誇りに思っているといいました。正直いって、提督、セチンは酔っぱらっているのかと思いました。それが、きのう〈ジョン・ウォーナー〉が撃沈されたことについて話をしていたときに、ぴたりと符合したんです」

パットナムは何歳なのだろうと、リンクスは思った。ペンタゴン勤務の軍人のほとんどとおなじように、グレーの髪を剃りあげている。戦争遂行に邁進していることを示す手段でもある。パットナムの顔の肌はつるんとして傷ひとつないが、鼻は月の岩みたいだった。《スタートレック》の映画版の最初のほうを見ているくらいの齢かもしれない。

「それで、酔っぱらいのSF談義が、きみたちの気づいたことと、どう結びついたんだ？」パットナムが、ダーリンにたずねた。

「敵がわれわれの海中の資産を攻撃したことと、関係があると思います」ダーリンはいった。「われわれの作戦域には、わたしたちが交戦したターゲットを除けば、中国の潜水艦や水上艦は、一隻もいませんでした。航空機もいなかった。哨戒域《ボックス》をわれわれは支配していました。とにかくそう思っていました」

ダーリンは下唇を噛み、焦りをあらわにした。「しかし、提督のご質問に答えるには、状況をもっと幅広く知る必要があります。NASAのドクター・ショーが、適切な説明をしてくださるはずです」

ダーリンは、左に座っていた男のほうを向いた。ショーは筋肉質の長身で、水泳選手のように肩幅がひろく、あまり科学者のようには見えなかった。それに、ふたたび流行している、一九三〇年代風の高価で派手なスーツを着ていた。かてくわえて、バラ色の細いVIZグラスを、まるでティアラみたいに、額の上にちょこんとかけていた。だが、なにを狙ったのか知らないが、そういう演出はパットナムの目にははいらなかった。

ショーが立ちあがって、話をはじめると同時に、うしろに動画が映し出された。ショーが醸し出している雰囲気とは、似ても似つかない内容だった。

「光子が真空を出て、光の位相速度を超える速度で誘電体の媒体にはいると、すばらしい結果が生じます。それが、ブラックホールの性質から星に至るあらゆる物事を科学的に理解する鍵となりました。まず数学的な基本からはじめましょう」

ショーが方程式を書き、ボックスの壁にそれが映写されると、パットナム提督が、リンクスとダーリンに向かっていった。「諸君、議論で防御している時間はない。戦争に勝たなければならない。これはチェレンコフと潜水艦に、どうつながっているんだ?」

「それをこれからご説明するところです」リンクスは答えた。「ドクター・ショー、これを説明するのにあなたが使った比喩のほうが、いまは数学よりも役に立ちそうだよ」

「ああ、そうだね」ショーがいった。「飛行機が音速よりも速く飛び、音の壁を破ったときになにが起きるか、みなさんはご存じですね。ソニックブームがあとに残る。チェレンコフ放射は、それが電子のレベルで起きたともいえる。光速は真空中でのみ可能だとわかっています。光がべつの媒体、たとえば水のなかを移動すると、その媒体をなす物体によって減速する。だから、荷電粒子はその環境では光よりも速く移動できる。しかし、その粒子もおなじ媒体と反応し合い、分子が励起して、光子を発生させ、それがうしろに蓄積する。ちょうどソニックブームのように、原子よりも小さい粒子を円錐形にたなびかせる。あなたがたが関心を抱いているのは原子炉だと思うが、そこでは粒子が光よりも速く移動し、あなたがたもよく知っているきれいなブルーの輝きを発する。それがチェレンコフ放射だ」

口を挟まないと一同が飽きてしまうとわかっていたので、リンクスがあとを引き受けた。

「ですから、提督、これがもうひとつの謎に関係があるかもしれません。中国軍のパール・ハーバー奇襲とそのあとの海戦で、わたしたちはずっと敵の対潜作戦を研究してきました。しかし、そもそも攻撃は宇宙でまず行なわれた。DIAのわたしたちの同僚に話を聞けば、ひとつだけ不可解なターゲットがあったとわかるはずです。NASAの研究用衛星です。これまでわたしたちは、中国がまちがった情報で、それを秘密のスパイ衛星だと判断した、と思い込んでいました。それもあって、ドクター・ショーに来てもらったんです。ドクター、NASAがどういうプロジェクトに取り組んでいたかを、提督に説明してもらえますか？」

「もともとは、ブラックホールの起源を研究するために、チェレンコフ放射を収集するのが目的でした。しかし、〝目に見える成果〟をNASAが議会に示さなければならなかったので」――応用研究を馬鹿にしていることを示すために、手でカッコを描いて、その言葉を強調した――「原子力発電所や、福島第一やメインヤンキー発電所のような事故の際の放射性物質拡散を監視するのにも使われていました」

ダーリンは口を挟んだ。「そこで、提督、国防総省の研究開発計画の予算内容を調べたところ、二十世紀に海軍研究所が行なっていた研究で、チェレンコフ放射によって原子炉を追跡することは理論上可能だとしていたことがわかりました。ですが、この研究は進められませんでした。成功の見込みが薄かったからではなく、うまくいったとしても、それに見合う成果がないと判断されたからです。アメリカの潜水艦はすべて原潜ですが、アメリカにとって脅威であるロシアと中国の潜水艦の多くは、音が静かなディーゼル・エレクトリック艦です。だから、そういう研究には意欲が湧かない。外国にはそれを利用する先進的なテクノロジーはないと海軍研究所は判断し、上層部は、研究が完成すれば、成果が漏れて敵国を利するかもしれないと不安視しました」

リンクスがふたたび口を挟んだ。「やつらが技術革新を遂げて、チェレンコフ放射を追跡する方法を発見した、と結論せざるをえません。それによってわれわれの潜水艦の隠密性は破られ、攻撃目標とされ、原子炉を使う艦船すべてが精密に追跡されています。ふたつの謎──敵のミサイル攻撃のターゲットが原子力艦に限られていたことと、ドクター・ショーの衛星が破壊されたこと──が、それで解明されます。双方がおなじ能力を持っていたなら、だれでも相手がその能力を使えないようにするはずです。たとえ敵が自分たちの能力に気づいていないとしても、その能力を奪うのが当然の戦術です」

パットナム提督は、十秒のあいだなにも返事をしなかった。だが、口を引き結び、こめかみに汗の珠がひとつ浮かんでいた。と、自分の言葉が信じられず、できるだけ早く口走ってしまいたいという感じで、歯切れのいいメロディみたいに言葉が流れ出た。

「酔っ払いの噂話と、疑問だらけの答という、考えられない組み合わせから生まれた理論だな。ということは、十中八九正しい。もしそうだとしたら、われわれはきわめて重大な問題を抱え込んだことになる」

ハワイ特別統治区　ノースショア　カエナ州立公園のビーチ

コナン・ドイル少佐は、リーフで波が砕けるところを目指し、ゆるやかなうねりを越えてスタンドアップボード（パドルボード）を進めていった。前腕にストラップで留めてあるボーイングD‐TACマイクロコンピュータが震動し、会合点《ランデヴー・ポイント》が近いことを伝えた。敵が侵攻した朝、標準支給装備の黒いプラスティック製の装置をはめていたのは、墜落したパイロットが秘話で通信する非常用装備一式のひとつだったからだ。車列襲撃の三日後、それが不意に脈動して、暗号通信が送られてきた。

頭上の星空と、背後の岸と、漆黒の海に視線を走らせたが、なんの気配もなかった。暗号通信の解読がまちがっていたのか？　コナンは腹ばいになって、パドルを使い、ボードが潮で流されないようにした。出かける前にブルー（アンフェタミン）を飲むべきだったが、節約したかった。

マイクロコンピュータが、この位置にコナンを案内してきた。先刻ニックスは、自分たちは四対一の確率で罠だと考えると打ち明けていた。

「そのために神はあたしたちに手榴弾をくれたのよ」と、コナンは応じた。

そんなわけで、コナンは無防備な状態でここにいる。「少佐が行きたがってるほんとうの理由はね」ニックスがいった。「服を洗えるからですよね」それはほんとうだった。靴は脱いできたが、二カ月ずっとはいているズボンは着たままにした。

水面下でなにかがピクリと動いて、コナンの目に留まった。なにかが動いた。大きなものが。

自分より大きく力が強いものが近くにいるのを察すると、動物的な本能でたちまち背すじが冷たくなり、激しい空腹を忘れた。興奮剤を何錠も飲み込むのに似ている。でも、それはコナンの流儀ではなかった。みんなはちがう。ドアを破って突入するのに、興奮剤が必要なものもいる。集中するために必要なものもいる。コナンはじゅうぶんに昂ぶっているので、β遮断薬のほうが合っている。

ボードの上で体を安定させ、脚のふるえをこらえた。水面下でまた黒っぽいものがひらめいた。前方で潮がすこし渦巻いた。

たとえ銃があったとしても、撃つことはできない。中国軍のセンサー気球が、パトロールを発砲現場に誘導し、一時間とたたないうちに拷問にかけられて、中国とロシアの訊問係に切り刻まれ、薬漬けにされるのがおちだ。戦闘医官は人命救助の絶好の機会をあたえられる。中国軍の訊問係は、それを悪用する絶好の機会をあたえられる。とにかくそういう噂だ。肉体と精神を敵によってずたずたにされるよりも、ここで怪物に呑み込まれて死ぬほうがましだ。

ボードの先端から五、六メートルのところで、水面が乱れ、黒い影が近づいてきた。やはりこれで終わりだ。

コナンは膝立ちになって、パドルを握り直そうとした。パドルを剣のようにふるうのだ。あいにくなことに、この戦士コナンは、肝心なときに剣を持ち合わせていない、と心のなかでつぶやいた。

黒い背びれ《フィン》が水面を切り裂いた。コナンは頭の上にパドルをふりあげた。なにはともあれ、海兵隊員として、最後は荒々しく行動したいものだ。

渾身の力をこめてパドルをふりおろしたとき、ウェーヴ・グライダーの筒型の船体が水面を割った。黒いプラスティックの硬い船体がパドルを跳ね返し、コナンはボードから海に落ちた。気がつくと、イトマキエイの形をしたそのドローンのそばで泳ぎ、サメではないのを自分に納得させるために、両手でそれをなでていた。ウェーヴ・グライダーは、電気をほとんど使わないので、探知は不可能に近い。昔ながらのエンジンではなく、海の波のエネルギーをもっぱら利用して前進する。ドイルのD‐TACがまた震動して、ウェーヴ・グライダーがマイクロコンピュータとネットワーク接続したことを知らせた。淡いグリーンのメッセージが、ファイルをダウンロードしたことを教え、つぎのメッセージはコナンへの指示だった。

カーゴハッチをあけるには、ウェーヴ・グライダーの翼にひっかかっているゴミをはずさなければならなかった。太平洋ゴミ水域を渡ってきたにちがいない。貨物室には防水のダッフルバッグがふたつはいっていた。バッグの迷彩パターンが、波立っている海面の模様に変わり、さらにボードの表面に合わせて変化した。なかに重要なものがはいっていることは明らかだった。

上海　董事会本部　最高幹部会

王小虔海軍中将が、ホログラムの球体を抜けて部屋の中央の演壇に登ると、話し声がやんだ。昔馴染みの旧友たちに自己紹介する必要はなかった。聴衆の大半とは顔を合わせたことがなかったが、VIZアップデートでみんな王の顔は知っている。ニュースキャスターは、王のことを〝新孫子〟と呼ぶ。古代の叡智に鼓舞されて現代の勝利を導いた策士というわけだ。情報部のアルゴリズムを創案し、人民にもっともうけがいいことを原動力にしただけなので、その歴史的地位の評価は当たっていないと、王は考えていた。それでもうれしかったし、さらに重要なのは、あらたな責任ある地位がおおやけに認められたことだった。だからこそ、民間の指導者に参画しているという意識をあたえるために、ほかでもなく上海でこのブリーフィングが行なわれている。

そこは軍の指揮所よりもずっと現代風の高級なしつらえだった。それに、収容能力もずっと高い。きょうはいつもより数十人多く集まっている。董事会の最高幹部たちが、副官や派閥の仲間をともなっている。おおぜいが分かち合うべき勝利の瞬間であるからだ。

王が奥の演壇で位置に着くと、ホログラムの大きな旗がそのうしろでひるがえった。英国の赤と白の新しい国旗が、吹いていない風ではためいていた。スコットランドのブルーは、パール・ハーバー奇襲後の国民投票で二度目の独立が決定したために、国旗から抜け落ちた。

「一カ国のみです！　ヨーロッパでアメリカに味方している国は、大英ならぬただの英国だけです！」王はいった。NATO崩壊はずっと前にはじまっていたが、外交責任者の投票だけで解散したのは、アメリカに中国軍の奇襲攻撃なみの大きな衝撃をあたえた。

「それに、同盟国アメリカに英国がなにを提供できるというのでしょうか？　われわれが電子機器を制御できるF‐35戦闘機と、フランスと共同所有している空母一隻だけです。フランスはその空母が大西洋を出ることを許さないといっています」

英国国旗がひっこんで、べつの国旗の蔭になった。

「太平洋では、アメリカに味方するのはどこの国か？」王は問いかけた。「やはり一カ国、オーストラリアだけです」王は聴衆に目を向けた。ほとんどが敬意を示し、熱心に聞いていた。そろそろVIZグラスをかけてもいい頃合いだった。

「つい最近まで、われわれが彼らの鉱物資源を必要としていたために、彼らはわれわれの急所を握っていると思い込んでいました。それがいまはどうです？　みなさんがたは、わたしよりもずっとビジネスの技倆に長けています」聴衆を敬うことが重要だったので、王はそういった。「しかし、わたしのような単純な船乗りでも、彼らの経済全体が、われわれの承諾なしでは売れない品物に依存していることはわかります。禁輸はつづいているのに、われわれの鉱物資源備蓄は存分にあります。じきに彼らは音をあげて、これまでは売らないと脅していたものを買ってくれと泣きつくでしょう」王は間を置いて、孫子の言葉を引用した。「〝戦わずしてひとの兵を屈するは、善の善なるものなり〟――戦うことなく敵軍を屈服させるのが、もっともすぐれたやりかたなのです」

最後の旗が現われた。アメリカ国旗。王が歩を進めると、旗がうしろで小さくなった。なにを示しているかは、明々白々だった。

「どうかVIZグラスをかけてください」と、王が告げた。艶消し黒のカーボン・チタン・メッシュで、〈プラダ〉の上海限定バージョンだった。ハワイ侵攻直後に、愛人が買ってくれたものだ。王の好みよりだいぶ派手だが、この聴衆には好感を持たれるはずだった。

VIZへのデータ供給によって、聴衆は情報源と公開情報の両方から集められた画像の雄大なツアーを経験した。嘉手納空港に放置されたF‐35戦闘機の列。日本との中立条約によって、基地はいま日本の支配下にある。つぎはインディアナポリスの食糧援助センターで配給を待つアメリカ人家族の行列。テープで仕切られた行列の向かいにあるネオンオレンジの箱を、だれもが眺めている。そのつぎの画像はアメリカ下院議会の議場で、ウェストヴァージニア州第二区とワシントン州第六区の議員が、肝斑のできた拳で殴り合っている。さらに、ウォール街の有名な牡牛像の足もとに散らばっているしおれたバラの花束。株式市場の大暴落後に自殺した何人ものトレーダーたちが偲ばれる、陰気な名残りだ。

「これらの画像は、アメリカが今後身にしみて学ぶことになる、あらたな現実を示しています。やがて彼らも自分たちの運命に利点があることに気づくでしょう」

聴衆はつづいて、天宮《ティエンゴン》3号宇宙ステーションのそばの高みに飛んでいった。予想どおり、何人もがあっと驚いて息を呑んだ。太平洋をそこから見おろし、宇宙をパール・ハーバーまで自由落下して、またもや息を呑んだ。そこに繋留されている中国軍艦の02甲板（三階にあたる）から、港のパノラマ映像をじっくりと眺めた。聴衆は息を整えながら、まるで中国の港にいるみたいにくつろいでいる、休めの姿勢の水兵を見ることができた。VIZグラスの旅とその終点が気に入った、董事会の最高幹部と来賓は絶大な拍手を贈った。

「しかしながら、知恵のはじまりは、物事をあるがままの姿で呼ぶことです。これはわれわれがこれまで成し遂げたことの雄大なツアーでした。しかしながら、このことは理解しなければなりません。われわれは完成点ではなく停滞点におります。もはや戦いを行なっておりませんが、戦争はまったく終わっていないのです」と、王はいった。「アメリカの通常戦力は、中国本土を攻撃することはおろか、ハワイに到達することすらできません。しかし、そういう事実は、アメリカがそのような野望をはぐくむのをとめるものではありません」

そこでさまざまな映像が表示された。砂漠用迷彩の米海兵隊一個中隊が、屈辱と怒りの入り混じった表情で、民間航空会社のジェット機のタラップをとぼとぼとおりてくる。中東で動きがとれなくなった部隊を引き揚げるのに、アメリカはブラジルから旅客機を借りなければならなかった。つぎはサンフランシスコ湾内の軍艦一隻で、防水布やら足場やらがいまにも崩れそうに組み立てられ、なにか再艤装が行なわれているとおぼしかった。そのつぎはコネティカットの造船所の微速度撮影で、潜水艦一隻がじれったいくらいのろのろと建造されていた。さらに、幼い少女の悲しげな顔。リボンで飾ったピンクのタブレットを、少女の父親が学校にある手作りの戦勝協力箱《ヴィクトリー・ボックス》に入れているところだった。マイクロチップを中国から輸入できなくなったので、タブレットは分解され、部品取りに使われるのだ。

「われわれの奇襲と、経済面におけるあなたがたの働きが、爾来《じらい》このように壊滅的打撃をあたえています」王はいった。「しかし、注意を怠ってはいけません。数カ月前にわたしは、選択の余地はないと、みなさんに申しあげました。それはいまもおなじです。尊厳にかかわるからもう一度やらなければならないと、アメリカ人は考えるでしょう。そして、その攻撃をわれわれは怖れず、むしろ歓迎すべきです。アメリカが攻撃に失敗した暁には、ようやく彼らとわれわれの歴史のあらたな展開を受け入れるでしょう。

わたしが孫子を崇敬していることはよく知られていますから、これからの道のりを示す言葉を引いて締めくくりましょう。〝勝つべからざるは己にあり、勝つべきは敵にあり〟――敵がわれわれに勝てないのには、われわれにその原因があり、われわれが敵に勝てるのには、敵にその原因があります」

ＶＩＺへのデータ供給が終わり、王提督はＶＩＺグラスをはずした。肩を叩いて祝福するものがあり、ふりむくと、つぎにプレゼンテーションを行なう呉涵《ウー・ハン》経済部長だった。

「みごとだった」呉はマカオの賭博産業で富を築いた。権力移行のときには貴重な情報源として、旧共産党幹部とその派閥に圧力をかけるのに貢献した。幹部はたいがい、金銭か私生活のことで呉に借りがあった。

踊り子こそいなかったが、呉のプレゼンテーションはショーマンシップにあふれていた。中南米とヨーロッパの諸国から中国がこれまでよりも有利な貿易特権を引き出していることを語るにつれて、音楽がしだいに盛りあがった。メキシコとベネズエラからの原油輸入がすでに増加していて、マリアナ海溝の天然ガス採掘準備が予定より早まったことを告げると、音楽は最高潮に達した。

呉経済部長は、王提督の視点と重なるのをおおむね避けていたが、やがてパナマ運河の問題に触れた。パナマ運河については、中国軍と民間のあいだでいまも摩擦がある。米海軍大西洋艦隊が容易に太平洋に出るのを封じるのは、攻撃計画にとって必至であり、第二次世界大戦中に日本が犯した数々のあやまちを王が分析し、そこから引き出された対策だった。ほかにはホーン岬をまわる航路しかなく、上空掩護が可能な範囲から数千海里も離れている。パナマ運河を通航できなくすれば、潜水艦で哨兵線を敷き、負債軽減の見返りにアルゼンチンの基地を使用することで、米艦隊に対処できる。だが、最高幹部会の企業側にとって、軍のこの簡潔な解決策は、投資の損失を意味した。そこで、ブラジルがアメリカに転嫁する賠償金要求に運河修繕費を含める、という妥協案が編み出された。

王は呉の嘆きに同情するようにうなずいてみせたが、そのあとはプレゼンテーションから、戦争の進行状況を見守るというほんとうの仕事に注意を切り替えた。副官が送ってきた短いＶＩＺ報告では、新鋭の旅洋《ルーヤン》Ⅳ型ミサイル駆逐艦が一隻就役したが、乗組員の即応態勢が劣化していると指摘していた。

つぎはソフトウェア産業で財をなした、若いテクノクラートの情報部長だった。ブルーの色レンズのＶＩＺグラスをずっとかけたまま、気後れしているような態度で、聴衆に語りかけた。

「微博《ウェイボー》のマイクロブログ分析では、大衆の好意的なフィードバックは、ほとんどの楽観的な予測モデルよりも七パーセント多いです。予想外の不和が拡大することを心配せずに続行できるだけの支持を得ています」

王は熱心に興味を示しているような顔をしていたが、米艦艇の動きについての最新情報を

ＶＩＺで確認することに余念がなかった。

「経済見通しもかなり楽観的で、それも成長を持続させるために必要な安定と調和を強化しています」情報部長が結論を述べた。あいかわらず床に視線を落としたままで、見解を述べた。「われわれが勝っているので、人民はわれわれの側にいます」

「ちがう。戦争が終わったと人民が考えているからだ」地上軍総司令員威《ウェイ》上将が、口を挟んだ。「そのとおり、終わった。アメリカは……」

間を置き、王のほうを見て、語を継いだ。「打ち負かされた」

王に対する微妙な攻撃で、最高幹部会の民間人の前で口にすることに意味があった。海南島でひらかれた前回の軍人のみの会議では、勝利で得たものを強化するか、それとも王の提案のように優位な立場に乗じ、アメリカが準備不足のままで土壇場の行動に出るように仕向けるかということに関して、将官たちの意見が割れた。問題は、民間人幹部の前で威が反論したのが、王提督の受けている称賛を個人的に嫉妬しているからなのか、それとも組織同士の争い、つまり例によって陸軍が権力を握ろうとしているからなのか、という点だった。よけいなことをいえばふたりとも厄介なことになると注意するために、王はすばやく副官に目配せをした。

「もちろん、われわれが成功の海を泳いでいるという威将軍のご意見には賛成です」威の地上軍ではなく海軍が勝利を決定的にしたことを、それとなくほのめかした。「しかし、言葉の選びかたには、異を唱えざるをえません。アメリカが打ち負かされたというのは、この戦争が終わったことを示唆しています。敵がたとえ一度にあらゆるものを失ったとしても、それだけで敗北を認めさせることはできません。このことをお忘れなく」王はいった。「われわれの最終的な勝利は、彼らが敗北を認めることによって築かれます。まだ敵は敗北を認めておりませんし、平和的なプロセスで認めさせることはまず不可能です」

「やつらがわれわれと戦うのに、なにができる?」呉経済部長が質問した。「アメリカは民間企業も軍需産業も、部品調達を外国に頼っているから、麻痺せざるをえない」

「あと三カ月ないし半年で、アメリカは完全に崩壊すると予想されている。わたしには敗北だと思えるがね」威上将がつけくわえた。

「だといいのですが」王は反論した。「しかし、大国が衰亡をなかなか受け入れないことは、歴史が示しています。倒れるときには、かなりじたばたします」

「やつらには、現時点で攻勢に出る度胸はないだろう」威上将がいった。「すぐに撃沈されるような艦艇を、やつらが就役させるか? 撃墜されるに決まっている飛行機を飛ばすか? われわれが天空を支配し、あらゆる動きを監視できることを、やつらは知っている」

「やらせればいい」情報部長が、また視線を落としたままでいった。「あらたな戦闘シーンは、支持率と統合調和指数をあげるのに、いちばん役立ちます。急上昇しますよ」

「彼らがかつてのわれわれとおなじ状況に置かれているのが、わからないのですか? 空、宇宙、海を好き勝手に利用して作戦を行ない、監視して、すべての動きを封じる敵に、彼らは直面している」王提督がいった。「しかし、だからといって、敗北した国であるとはいえません。われわれのつぎの段階では、彼らにそれを認識させるよう導くことが求められます」

アメリカの海上貿易を封鎖するという、自分の提案する戦略を、王は説明した。これには大西洋の補給ルートを攻撃することが含まれているが、ヨーロッパ諸国との紛争を引き起こすことを怖れて、中国はその方面にはまだストーンフィッシュ・ミサイルを配備していなかった。

「われわれの目的は、戦いのための戦いではなく、好都合な反応を引き起こすための戦いでなければなりません。米艦隊に最後の出撃を行なわせて、われわれの条件で戦争を終わらせる。それでも、敗北をアメリカが受け入れるときには、面子を護れるような手段をあたえなければなりません。孫子が助言しているように、〝師を囲めばかならず闕《か》き〟――逃げ道を残しておきます」

経済部長が反論した。「提督、ハワイ地域をどうするかは、すべてのカード・テーブルの勝負とおなじように単純明快だ。敵に失ったものを返してやることはない。返してほしければ、じゅうぶんな見返りを出さなければならない。われわれのエネルギー安全保障の必要と国の名誉が、当然のものとしてそれを求める。それに、もちろん、きみが正しく、アメリカが敗北を認める前にもう一度挑もうとしたとしても、こうするのが最善だ。テーブルから客が逃げるようなことはあってはならない、テーブルに残ってゲームをつづけるよう仕向ける。財布が空になって帰るまで、何度もゲームをやらせるのだ」

会議は、そんなふうに堂々巡りだった。八十分たったところで、予定どおり王の副官がそばに来た。責務のためにこの場を離れるのが残念だというそぶりで、王はなにもいわずに立ちあがった。副官が代わりに残り、VIZグラスで録画しながら、必要とあれば王に連絡できるように備えた。

補佐官や副官が群がる、陽射しがはいる明るい廊下で、王はだれかに呼びとめられた。董事会軍事立案グループに配属されている、ロシア軍の連絡将校だった。王は名前を思い出せず、VIZグラスをかけていればよかったと思った。

「提督、おめでとうございます」流暢な北京語で、ロシア軍将校がいった。礼装用の軍服は、着古していたが、染みひとつなかった。「お忙しいのは承知しています。ただ、会議ではすばらしいふるまいだったと、おなじ戦士として申しあげたかった。わたしだったら、あれほど自分を抑えられたかどうかわかりません」

王は、その言葉を推し量った。かすかな傷痕がひとつ残っている額の下の、左右に離れている水色の瞳をじっと見た。プロフェッショナルがプロフェッショナルに話しかけているような、秘密めかした口調だった。

「戦争に勝たなければならないのに、あんなふうに民間人を相手にしなければならないのは、お気の毒ですな」ロシア軍将校が、自分の声に聞き惚れているようにつづけた。「しかし、もちろん、いまの中国は、軍服組とビジネススーツ組の両方が主導しているから、妥協という犠牲を払わなければならない。ロシアではもっと単純ですよ。われわれの親愛なる指導者がいうとおりになります」

「あなたがたの指導者には、殺しの本能がありますからね」王はいった。

「提督もおなじでしょう。そうでしょう」王は礼のつもりでうなずいたが、相手はなおもいった。「さらに重要なのは、わたしとまったくおなじ意見を提督が彼らに述べたことです。そうですとも、アメリカがノックアウトされたというのは尚早です」セルゲイ・セチン少将は、にやりと笑った。

ハワイ特別統治区　サンデー・ビーチ公園

〝フランク〟こと呉鋒《ウー・フォン》海軍上尉は、腰までの深さの温かい海でとまり、凍りついた。

彼女を見失った。

やがて現われた。一〇メートル先に。

彼女は、一分前には黒いビキニのトップをつけていた。いまはトップレスで、もっと沖に行こうと手招きしている。

サーフボードに乗るのはまだ二度目だが、やる気を起こすにはそれでじゅうぶんだった。董事会最高幹部の息子として、呉は数多くの特権を享受していたが、サーフィンはやったことがなかった。戦前にＵＣＬＡを卒業したが、機械工学の勉強をせずにビーチで遊んでいたという報告が父親に届くのを恐れたからだ。そうとも、自分はつねに責務を果たしてきた。いまもこうして、愛国主義の一翼を担っている。最高幹部の二男はすべて軍隊にはいる。相続人ではないからだ。長男は安全なマカオにいる。

だが、責務にご褒美をもらう値打ちがないとは、だれもいっていない。マカオでカジノの帳簿を細かく見ていくよりもずっとおもしろいことに出会える。トップレスの美女にサーフィンを習うのも、そのうちのひとつだ。

呉は両腕を水に叩きつけるようにして熱心に漕ぎ、そのせいでボードが飛び出しそうになった。水中では力がすべてではないのだ。波の砕ける音のなかで、くすくす笑うのがたしかに聞こえ、彼女がまた潜るときに、素肌がちらりと見えた。

リーフで波が砕ける音が、いっそう大きくなった。だが、水深はまだ浅い。立とうと思えば立てる。それに、中国の海軍士官が水や美女を怖がってはいけない。

おれは正義の味方だ。それを彼女に教えてやりたい。

呉の手が届かないところに、彼女が姿を現わした。裸の胸が月光に輝いている。するとまた潜った。白い素肌が見え、トップだけではなくボトムも脱いでいるとわかった。

キャリーがすぐそばに現われたので、呉はボードから落ちそうになった。キャリーは立ち泳ぎしながら、満面に笑みを浮かべた。思ったよりも深いようだ。波の砕けるところよりも沖に来ている。だが、水面は穏やかだった。

ボードに乗って、呉のうしろにまたがったキャリーが、乳首が呉の背中に触れるくらい体を近づけた。

「砕け波のすぐそばよ」キャリーがいった。「感じなきゃ。魔法みたいなのよ」

ボードを漕いで波に乗るやりかたを、キャリーは説明した。砕ける波をかぶりそうになったら、潜って波が過ぎるのを待つ。辛抱強くしないといけない。

「勇気を出して」キャリーはいった。「あなたみたいな兵士《ソルジャー》には、そんなに難しくないはずよ」

呉は海軍士官なのだが、訂正する間もなく、キャリーがまた海に潜った。呉はボードに体を密着させ、背をそらして、いまではなめらかに水を掻いていた。漕いでいると、波が岸から見るよりもずっと大きいことに気づいた。

一瞬にして波がボードを持ちあげ、ビーチへ向けて押し流し、呉は砕ける波のなかに落ちた。海の底を蹴って立ちあがろうとした。だが、足が届かなかった。

浮きあがり、瞬きをして、目にはいった海水を出そうとした。手をのばしてボードをつかもうとしたが、つぎの波が襲いかかった。

彼女はどこだ？

上で波が砕けたとき、呉は目を閉じた。大きく息を吸い、水に潜った。彼女に教えられたとおりに。

そのとき、頬にそっと触れるものがあった。ボードの紐《リーシュ》が水中で揺れている。呉は手ではらいのけたが、そのときリーシュがピンと張って、首に巻きついた。呉はリーシュをつかんだが、はらいのけようとするたびに、首に巻きついたリーシュはかえって締まるばかりだ。もういっぽうの手を使おうとしたが、潮の流れのせいで体がぐるぐるまわっていた。キックして水面に出て、空気を吸い、泳ごうとしながら、波やリーシュや潮流と戦った。

波がつぎつぎと上で砕け、戦えば戦うほど、リーシュは首を絞めつけた。

ニューヨーク　クイーンズ　ＪＦＫ－シティグループ空港

「なんの免許状がいるんですか？」

バイア提督は、戦争の最中に国防総省を離れたくなかった。それに、一九七〇年代のスタジオ54・ナイトクラブみたいな内装に仕上げられたボーイング787‐9ビジネスジェット機に乗らなければならないのも、まったくもって気に入らなかった。

「私掠船がちょうだいする敵国船拿捕《だほ》免許状だよ、提督。それが必要だと、弁護士たちにいわれたんだ」エイリック・カヴェンディッシュがいった。声をひそめてつけくわえた。「いやしくも海軍将校なら、米海軍の歴史から、それくらいはわかるはずだと思ったんだがね。あいにくちがった」

バイア提督は、座席の茶色いベロアの布地を握りしめた。横に座っていたスーザン・フォード大統領次席補佐官がじっと見守り、バイアが挑発に乗ったら割ってはいろうと身構えた。さいわい、バイアは反応しなかった。情報プロファイルを読んでいて、馬鹿なことをさんざん聞かされるのは覚悟していたのだ。

サー・エイリック・カヴェンディッシュは、メルボルン郊外の中流階級《ミドルクラス》の出身で、生まれたときの名はアーチス・クマールという。遺伝学を修めて、細胞再生とコレステロール遮断薬の重要な特許のいくつかで、最初の十億ドルを稼いだ。だが、クマールはじきに、他の科学者を組織的に使って金儲けをする才能が自分にあることに気づき、バイオテクノロジー・ブームに乗って、世界で七番目の金持ちになった。しかも、中国、ロシア、中東以外の国に住む大富豪上位二十五人のなかで、唯一の億万長者だった。また、世界経済が崩壊したときに、手を広げすぎていた億万長者たちの持ち株会社や島を買い取り、二位以下にさらに差をつけた。

いかにも貴族らしい名前に変えたり、マンチェスター・ユナイテッドを買収して、リーズ・ユナイテッドとの試合でゴールキーパーをやらせるようマネジャーに強要したりするなど、サー・エイリックは、朝に目を醒ましたときの気まぐれな思いつきを、なんでも実行してきたようだった。わたしの時間を無駄に使うというのが、今回のきまぐれなのか、とバイアは心のなかでつぶやいた。

「あなたがたアメリカ人のいいまわしを使うことにしよう。海軍という共通の領域で論じようとした吾輩が浅はかだった。要するに、狩猟許可証を出してもらいたい、ということだ」と、カヴェンディッシュがいった。右手でピストルの形をこしらえ、上に向けて、ライムグリーンのふかふかのカーペットを張った天井を撃つふりをした。「あそこで狩りをするのにね」

バイアは座席にどさりともたれて、指でそっと叩きはじめた。カヴェンディッシュがモールス符号を知っていたら、バイアが投げつけていた悪態にたじろいでいたはずだ。

「サー・エイリック、考えておられることを、はっきりとおっしゃってください」フォードがうながした。

カヴェンディッシュが、考えをまとめているように目を閉じた。ほんとうはそれまで数日かけて、考えは周到にまとめてあった。最初は気まぐれな思いつきだったかもしれないが、徹底的に調査し、吟味にかけた。奇抜だが実行可能だとわかっていた。

「アメリカが軍事的苦境に追い込まれているのは、はっきりしている」カヴェンディッシュがいった。「航空力の投入は限定され、とりわけ軍用機そのものが信頼できない。地上部隊はほとんどがショッピング・モールと国境の警備にまわされている。商店が略奪されるのを防ぎ、もうだれも越えようとは思わない国境を護るのは、国が滅びないようにする最善の策かね。中国が勝手に非武装圏と名付けた——もちろん中国ではなくあなたがた向けに——ところを越えられない米海軍の主要任務は、艦艇が錆びないようにすることになり果てている。その戦いでも、あなたがたは負けるだろうね。お気の毒だが」

バイアは、フォードの顔を見て、立ちあがりかけた。「こんなたわごとを聞いている時間はない。省に帰らなければならない」バイアがいうと、フォードが手でバイアを押さえた。

「サー・エイリック、提督が辛抱を切らしかけていますよ。わたしもおなじです。それに、わたしの時間を無駄にするのは、アメリカ合衆国大統領の時間を無駄にするのとおなじですよ」と、フォードがいった。

「あいや、お詫びしよう」カヴェンディッシュがいった。「つい……興奮したもので。話を一時停止して、リセットさせてもらえるかな」

昔ながらのお仕着せの執事がはいってきて、無言でそれぞれにシャンパンのフルート・グラスを渡した。バイアはカヴェンディッシュと酒を飲むのは嫌だったが、シャギーのカーペットのほかに置くところがなかった。そこに置けば倒れるにきまっている。

　バイアが目をあげたときには、カヴェンディッシュのグラスが半分になっていた。よし。傲慢なやつだが、やはり神経質になっているのだ。

「提督、どうか味見して。提督のために買ったんだから」カヴェンディッシュがいった。「一九〇七年の〝難破船〟エドシック（一九一六年にドイツの魚雷で沈んだスウェーデン貨物船から一九九八年に発見されたシャンパン）の最後のほうの一本だよ。第一次世界大戦中にUボートで沈められた貨物船に積まれていて、ずっとバルト海の底に沈んでいたが、海水がきわめて低温だったので、保存状態がよかった」

「さきほどのお話ですが……」フォードがうながした。バイアは世界でもっとも高価なシャンパンに敬意の目を向けた。奇人ではあるが、小気味よい性格だけは認めなければならないと思った。

「この苦境はみなさんには耐えがたいだろうが、吾輩もおなじだ。吾輩の資産を思う存分楽しむには、世界を以前の状態に戻さなければならない」カヴェンディッシュがいった。「この目標を阻害している原因を、いくつか突きとめた。そのなかでも主な原因は、太平洋の上空を周回している天宮宇宙ステーションだ。あなたがたにわたしが期待している行動能力を、それが阻んでいる。どの戦いでも中国が効果的に制高地点を支配するのに、それが貢献している。それに、吾輩が広範囲にわたるコネを使って確認したところによれば、あなたがたはそれを攻撃するのに失敗したそうだね。そうなると、最終的に核兵器で対応するしかないと、あなたがたは心配している。それも確実に成功するかどうかはわからないし、紛争が拡大して、わたしたちみんなの暮らしがいっそう耐えがたくなると考えられる」

「その件については肯定も否定もしないが、あなたの話の目的のために、その情報は正しいということにしよう」バイアはいった。フルート・グラスが温まっているのがわかった。一九〇七年だって？　むだにするのはもったいない。

「天空から……あいや、もとへ」カヴェンディッシュがいった。教養を感じさせるしゃべりかたが、お里のオーストラリアなまりに戻っていた。「いいかい、あんた、勝ってあんたらの海を取り戻してえんなら、その海は神さまのはからいであんたらのものになったんだとおれは思うけど、ろくでもねえ宇宙ステーションをなんとかしなきゃだめだぜ。だけど、核兵器をいじくっちゃいけねえ。だろ？」

　バイアはうなずいた。シャンパンを飲むチャンスはいましかない。ひと口で飲み干した。

「お見事！」カヴェンディッシュのイギリス英語が戻っていた。「敵国船拿捕免許状もしくは吾輩の狩猟許可証の見返りとして、あなたがたの政府の決めた日時に、あなたがたの作戦を阻害しているこれを排除しよう」

「どうやってうまくいくと？」フォードがきいた。

「まずは契約だ。アメリカ合衆国憲法第一条第八項で承認されているように、正式な私掠船として認められるために、敵国船拿捕免許状を請求するようにと、弁護士たちに助言された

（憲法にはたしかに記載されているが、一八五六年以降は国際法違反）」と、カヴェンディッシュはいった。「憲法の原本を取り寄せてもいい。これでどうかね、ミズ・フォード？　おたがいに契約書を保管して」

バイアは口を挟んだ。シャンパンはじつにうまかったが、ちびの奇人がまた時間を無駄にしている。

「いいですか、弁護士がどう思っているか、こっちには関係ない。わたしの仕事じゃない。肝心なのは戦争に勝つことだ」バイアはいった。「あなたの死ぬ前にやっておきたいことのリストに×印をつけるために来たわけじゃない」

「そうとも、提督。吾輩は力になりたいと思っている」カヴェンディッシュがいった。

「どうやって？」バイアはいった。「幼稚園児に食糧配給はうまくいくからねと説明している国で、ポルノ映画のセットみたいな飛行機に乗って、年代物のシャンパンを飲んでいるおかしな名前の男しか、ここには見当たらないんですがね。そのなんたらかんたら許可状の見返りに、あなたはいったいなにをやってくれるんだ？」

「秘密兵器だ。中国がいまだかつてお目にかかったことがないような」空のフルート・グラスをこめかみにそっと押しつけて、カヴェンディッシュがささやいた。「吾輩の想像力だよ」

ヴァーン・リーは、額の汗を拭って、もう一度見た。やっぱりある。VIZグラスをはずすと、落書きは消えた。鼻の汗を拭き、VIZグラスをかけた。落書きが戻った。

船が海で縦揺れするみたいに、ヴァーンの体が揺れた。真っ赤なペンキが、血みたいだった。


おれたちはおまえを見張ってる、中国人《チンク》。


「ヴァーン、だいじょうぶ？」カリフォルニア工科大学出身の三十五歳のソフトウェア・エンジニア、テリがきいた。狭い機械室で、ふたりはいっしょに作業していた。

「ああ、いいえ、その、だいじょうぶだと思う」ヴァーンはいった。

「ここに座りなさい」テリが、やさしく命じた。「興奮剤がいる？　もうこれを、ええと、二十時間もやってるし」

「ここでなにかおかしなものが見えない？」ヴァーンはきいた。

「ええ、この艦はおかしなものだらけよ」テリがいった。

「そうじゃないの。壁の落書きとか、そんなものがまわりに見えるっていうことは？」

「落書き？　いいえ、衛生兵曹を呼びましょうか？」テリがきいた。「よくないわ。何錠飲んだの？」

「興奮剤は飲んでいないったら」ヴァーンはいった。

「不良品が混じってるって聞いたのよ。中国がやったんだって。とにかく政府はそういってる。でも、情報通は、だれかが儲けを増やすために洗濯石鹸を混ぜたんだっていってる」

中国人《チンク》。いまはいったい何世紀なの？　どうしてわたしを疑うのよ？

「さあ、座って」テリーが、もっと厳しくいった。「いったいどうしたの？」

ヴァーンは、自分に見えるものを説明しようとして、口をひらきかけたが、ぴたりと口を閉ざした。戦闘中に電力システムが故障したら、だれが落書きをしたにせよ、死ぬことになるだろう。それに、その電力システムは、シナ人の大学院での科学研究に依存している。そういう単純なことだった。

ＶＩＺグラスを壁のその場所に投げつけた。ほんとうに真っ赤なペンキで落書きする勇気があれば、そこに描かれていたはずだった。

「ヴァーン」テリがいった。「落ち着きなさい。だれかを呼んでくるから。休んでいて」

ヴァーンは四つん這いでＶＩＺグラスを拾いにいった。傷ひとつついていない。壊れればよかったのにと思った。こめかみのリセット・ボタンを押して、〈ズムウォルト〉のネットワークに再接続するのを待った。目を閉じてかけた。目をあけると、落書きがあった。

重い足音が聞こえて、ヴァーンは起きあがった。

「ヴァーン、シモンズ上等兵曹よ」テリがいった。

「ドクター・リー、気分が悪いと聞いたが」マイク・シモンズがいった。

「こういうのにうんざりしているだけ」ヴァーンはいった。

「おれの知っているかぎりでは、あんたはこの艦でいちばんの重要人物かもしれないんだ」マイクはいった。「つまりは艦の装備の一部だな。となると、おれに責任がある。上に行って、新鮮な空気を吸って、食事をしてもらってから、仕事に戻ってもらおう」

自分が文字どおり艦の部品だという考えを聞いて、ヴァーンは笑った。事実であるだけに、そういう表現が可笑しかった。

「艦長よりも重要人物？」ヴァーンはきいた。

「うーん、それは答えにくい質問だな、ドクター・リー」マイクは笑った。「艦にとってはあんたのほうがずっと重要だということは、はっきりいっておこう」

ヴァーンはまた笑った。テリがふたりに不安げな笑みを向けた。

年配の上等兵曹を、ヴァーンは観察した。一生に一日たりとも迷った日はないように見える。

「テリ、上等兵曹にだけ話があるんだけど」ヴァーンはいった。

「そう」テリがいった。「わかった。水を飲みにいってくる。艦尾で落ち合いましょう」

狭いところをテリが通れるように、マイクが脇にどいた。足音は重かったが、甲板での身のこなしは驚くほど軽やかだった。年齢の割には。

「で、ドクター・リー、ほんとうはどういうことなんだ?」マイクがきいた。

ヴァーンは、VIZグラスをはずして差し出した。

「自分で見てもらわないと」ヴァーンはいった。

「見せてくれればいいじゃないか」マイクがいった。

「だから見せているのよ」

「いや、じっさいに見せてくれ」

「見せられないの。これをかけないと」ヴァーンはいった。

マイクがVIZグラスを目の前に持ちあげた。馬鹿にするようでもあり、恐れもあると、ヴァーンは察した。

「合わない」マイクがいった。「話してくれないか……」

不安になるのはめったにないことなのだとヴァーンが見抜き、それでよけいにマイクは居心地悪そうになった。

「VIZを使ったことがないんでしょう?」ヴァーンはきいた。

マイクが、傷だらけのブーツの爪先を見つめた。

「ああ、ない」マイクがいった。「利点がわからない」

「あなたがおじいさんだというのはわかっているけれど、そんなにおじいさんじゃないでしょう」ヴァーンは、ばつが悪くなって顔を赤らめた。マイクの顔に怒りがつかのま浮かんだ。「ごめんなさい。あなたたちをそう呼んでるっていわれたの。お願い。重大なことだから」ヴァーンはいった。「艦にとって重大なことなの」

マイクが逃げる前に、ヴァーンは注意深くＶＩＺグラスをその顔にかけた。右耳が左よりもすこし低く、鼻がすくなくとも一度はつぶれたことがあるのに気づいた。マイクが身をこわばらせ、ヴァーンが離れると緊張を解いた。

マイクがバランスを失いかけたので、ヴァーンは駆け寄ってぎこちないハグで支えた。

「なんてこった」マイクはいった。データの流れを網膜に映写するため、第一世代のグーグル・グラスとはまったく異なると、話には聞いていた。これをかけると、もうガラスを通して世界を見ているのではなくなる。世界が脳のなかに持ち込まれたような感じだ。見るだけではなく感じることができる。それに、すさまじく奇怪だった。

ヴァーンは、マイクの手を引いて、落書きのほうへ連れていった。べとべとの赤い血はにおいに至るまでほんものだと脳の一部が告げて、本物ではないし、数秒前にはなかったはずという脳のべつの部分のささやきを打ち消していた。

「いったいこれはなんだ？」マイクはいった。「血か？」

「血のように見せかけてあるのよ」ヴァーンはいった。

「だれがこんなことをやった？」マイクは目を細めて、ＶＩＺグラスを鼻の上でずらしてから、またかけた。くそ。やっぱり見える。

「これほどむかつく卑怯なまねは、いまだかつて見たことがない」マイクはいった。「ほかにだれが見ている？」マイクの呼吸が深くなり、首の血管がふくらんでいるのを、ヴァーンは見た。

「だれも見ていないと思う。わたしのＶＩＺグラスのデータ供給だけよ」ヴァーンはしだいに落ち着いていた。「心配しないで。こういうくだらないことは長つづきしないから」

マイクはうしろにさがり、ヴァーンをしげしげと見た。

「いや、ドクター・リー。ほうっておくわけにはいかない。こんなくだらんことが、おれの艦で起きるのは許さない」

「だめよ」ヴァーンはいった。「わたしはリスク要因だと見なされて、追い出されるかもしれない。ここで働くために家からいなくなったせいで、脅迫がひどくなって、母の家をＦＢＩに見張ってもらわなければならなくなったのよ。わたしが中国に行ったと思われたから」

マイクは、ブーツを甲板でこすって、首をふった。

「それどころか、ドクター・リー、ガラスの目にどんな落書きがあっても、あんたがＺから追い出されることはありえないんだよ。好き嫌いにかかわらず、あんたはこの艦の一部なんだ。それから、はっきりいっておく。おれは自分の艦の面倒をみるんだ」

ハワイ特別統治区　ホノルル　董事会司令部

拳銃の銃口が、マルコフ大佐にまっすぐに向けられていた。

これで四度目だ。こんな猿芝居を我慢しなければならないのか、とマルコフは思った。玉喜来将軍は、マルコフがありがたがって拳銃をすぐさま見たがらないのが不思議だとでもいうように、それを軽くふってみせた。「知ってるか？　わたしが見たときには、弾倉は空だったんだ」玉がいった。「そいつは最後の一発をわたしに向けて撃ったんだ」

「でも、どうしてかすり傷も負わずに生き延びたんですか？」役割に甘んじ、拳銃を受け取って眺めながら、マルコフはきいた。

玉がデスクのへりに腰かけて、剃り立ての頭を片手でなでた。話をはじめる前に、体を動かした。巨体の重みに、木のデスクがうめいた。玉は戦士の役割どおりの見かけだった。将軍たちの多くとおなじように、その偽りの姿を利用して出世の梯子を昇ってきた。玉は、オリンピックの九六キログラム級レスリング選手みたいな体格だった。剃りあげた頭、出っ張った頬桁と大きな尖った鼻に君臨する、太い眉の下の落ちくぼんだ目。だが、戦士の外見と軍事的能力は別物だということを、マルコフはずっと前から学んでいた。

「戦闘はおしなべてそうだが、技倆と運の両方に左右される。このアメリカ海兵隊の将軍は、戦士だった。VIZの情報どおりだった。生きて虜囚になることはできないと、承知していた。なにしろ米太平洋軍のもっとも重要な基地の司令官だったからな。わたしが司令官室に突入したときには、煙が充満していた。だが、わたしは身構えていた」玉がいった。「拳銃を抜いていた。〝手榴弾は?〟と、部下がうしろで叫んだ。〝いかん!〟、わたしはどなった。〝いかん!〟」

「どうしてだめなんです?」マルコフはいった。

「名誉というものがある」玉将軍はいった。「おなじ戦士として、戦って死ぬようにしてやるべきだった。焼夷手榴弾がすでに一発破裂して、煙と火花にくわえ、隅のほうが燃えていた。敵と味方のどちらのものかはわからん。プラスティックの燃えるにおいがしていた。戦いのかぐわしき香りというやつだよ、大佐。視界がきかなかった。だが、危険は察知した。やっこさんが撃ち、わたしが撃ち返した」

「何発?」マルコフは水を向けた。

「たった一発だ」玉がいった。「わたしには一発でじゅうぶんだ」人差し指を眉間に当てた。的ははずさないという意味だ。

「将軍、たいしたものですね」マルコフはいった。最初に聞いたときには、疑わしいと思ったが、それは事実だった。その日、玉将軍といっしょだったコマンドウのひとりに確認した。この拳銃は、玉将軍がみずから殺した海兵隊基地司令の手に握られていたのを、こじり取ったものだった。だが、マルコフは、それだけで玉を指導者として尊敬するつもりはなかった。

マルコフは、ＳＩＧザウアーＰ２２６セミ・オートマティック・ピストルを、玉に返した。玉は激しい銃撃戦で少人数の部隊を率いるのは得意だったのかもしれないが、いまのようなルールなき不正規戦は得手ではない。アメリカ人は不正規戦の獰猛な戦士になるだろうと、マルコフはつねづね思っていた。ナショナリズムを奮い立たせる国造り物語を強く信じているからだ。ワイキキのキングズ・ヴィレッジ・ショッピング・モールで、最初の自爆テロが起きると、マルコフはあらためて確信した。ホノルル急襲の緒戦の話を玉が何度もくりかえすのは、そのためだった。この戦争で玉に理解できる部分は、そこしかないからだ。

「さて、仕事の話をしよう。目下の問題に、われわれは断固対処しなければならない」玉がいった。

「将軍が海兵隊司令を撃ち殺したように」マルコフはいった。

玉の指がヒクヒク動き、ＳＩＧをぎゅっと握った。

「そのとおり。やっこさんはとにかく名誉ある戦いかたをした。わたしは部下をかなり失った。わたしは毎晩、死んだ兵隊の親、妻、きょうだいに手紙をしたためている。残された遺族にな。いとしいものが重要なことをやって死んだというのを知るべきだからな。それも、わたしから報されるのが肝心なんだ」玉が言葉を切った。マルコフは、図体のでかい将軍を見た。玉は毎晩のそういう儀式に、すこし気おくれしているように見えた。前にもそういう態度を見たことがある。反乱分子による人的損耗を、個人の感情で受けとめている。よくあることだが、戦術を指導する指揮官がより大きな責任を見落として、そういうことにこだわるのは、大きなまちがいだ。

巨漢の将軍が身を起こして、拳銃を棚に乱暴に戻した。「これを封じ込める潮時だ！　パトロールを容赦なく厳しくして、やつらの隠れ家を突き止め、殺されたわれわれの兵士ひとりひとりの分の代償を払わせる」

「将軍、虚心坦懐にわたしの意見を申しあげます」マルコフはそっといった。「つまり、こういうやりかたは、まったくまちがっています。ここの住民がわれわれの命運を握っているのであって、その逆ではありません。わが国も、痛手をこうむって、その過酷な教訓を学びました。アメリカ人もむろん、これまでの数度の戦争で、おなじことを学んだはずです」

「やつらが失敗から学んだ教訓を、どうしてわれわれが学ばなければならないんだ」と、玉がいった。「やつらと仲良くする必要がどこにある。やつらが黙って従うようにするには、われわれがもっと強い決意を示す必要がある」

「そしてまた死体が増えるんですね？」マルコフはいった。

「ＡＳＥＡＮ諸国との貿易会議が迫っているときに、こういう攻撃がつづくのは、悪い宣伝効果があると、上海は懸念している。予定地に上層部の代表が視察に来る」玉はいった。

「予定地？　ここで開催するのですか？　最高幹部会の代表がハワイに来るのですか？」マルコフはきいた。

「そうだ。それなのに、幹部の息子ひとりが、こんなときに行方不明になった」玉がいった。

「馬鹿な海軍上尉の父親は、経済部長なんだよ……」

「それなら、なおさら反乱分子の餌に食いついてはいけませんよ」マルコフはいった。「代表が来るようなときに、自動車爆弾や放火騒ぎが起きたらまずいでしょう。反乱分子を挑発しないほうがいい」

「挑発だと？」玉がいった。「きみはいまの現実がわかっていないな。住民がいまの現実がわかっていないのとおなじだ。この犯罪者どもは、わたしのやりかたで始末する。大佐、きみの仕事はこの上尉を見つけることだ。それ以外のことはいっさい関係ない」

「結構、わかりました、将軍」マルコフはいった。出ていくときに、執務室の四方に視線を投げ、拳銃のほかにも侵攻の下劣な記念品があるのを見てとった。焼け焦げたＦ‐35パイロットのヘルメットが、棚に置いてある。キャンプＨ・Ｍ・スミスにひるがえっていたアメリカ国旗が、くだんの拳銃とおなじ棚に、たたんで置いてある。ひびがはいっている、ホノルル警察ＳＷＡＴチームのグレーのセラミック抗弾プレートが、壁の戦術状況地図のとなりに取り付けてある。地図には中国軍パトロールの現在位置が表示されていた。

玉将軍は奇襲開始の勝利を象徴するものをごっそり集めたが、べつの戦争で敗北しつつあることに気づいていない、とマルコフは思った。

ハワイ特別統治区　ホノルル　パイナップル・エキスプレス・ピザ

コナン・ドイル少佐が最初に気づいたのは、においだった。温かいモッツァレラ、トマトソースの甘い香り、新鮮なハワイのマリファナの鼻を刺激するにおい。よだれが出てきて、下腹の痛みをたしかめるために、コナンは腹筋に力を込めた。

一行はアラモアナ・ブールヴァードの横丁を抜けて、地下におりていった。階段の下まで行くと、ピザのにおいは消えていた。

「ここはうんこくさい」ニックスがいった。

「マリファナのにおい？」フィンがきいた。

「ちがう」コナンはいった。「たぶんあたしたちのにおいですよ」

ピザ・レストランの店主スキップが、ボアソーセージとパイナップルのピザを持って、数分後におりてきた。「ブロッコリと特製ソースにしたらいいのに」

「あたしたちはぜったいにラリっちゃいけないのよ」コナンはいった。ピザにマリファナを混ぜる方法は、文字どおり百種類もある。スキップの店の特製ソースは、バターとオリーブオイルに仕込むもので、新鮮なトマトソースのピリッとする味を損ねない辛みがある。

「あんたら制服組は、みんな似たりよったりだね。いつもストレスが強くて、薬でもたせてる。だけど、悪魔どもがいなくなったら、また特製ピザを食べにおいで」と、スキップがいった。「新しい画像は?」

「もう投函所《デッド・ドロップ》に置いてきた」コナンはいった。「本土に行かないと見られないけどね」

「いつになることやら」

「もうすぐよ」コナンは、スキップと自分を安心させるために、そういった。

スキップが、赤と黒の水玉模様の錠剤を、コナンに渡した。「テントウムシ。デザートに」

「ありがとう、きょうだい」コナンはいった。

「戻らないといけない。シャノンに店番をさせてる」スキップがいい、さっと手をふって挨拶をした。

スキップが上に戻ると、コナンは、ニックスとフィンに顎をしゃくった。「手順はわかってるね。あたしがドアの見張りをする」

ホノルル警察の標準装備になっている、艶消しのずんぐりしたモスバーグ暴動鎮圧ショットガンを抜いて、倉庫のドアを細めにあけ、銃身を突き出した。反対の手で、ピザをひと切れ取った。

ニックスとフィンが、小麦粉の大きな缶をいくつかどかして、下水口の蓋になっている地下の床の格子を持ちあげた。下水道管の継ぎ目を苦労してはずし、キャタピラ付きの黄色い縞模様の筒を管に落とし込んだ。かつてホノルル保健局が下水道管の検査に使っていた、ヴァーサトラックス300と呼ばれるロボット検査機だが、ナノプレックス爆薬の塊をダクトテープで取り付けて、べつの能力をあたえられていた。軍事用語でいえば、VBIED、つまり車両搭載簡易爆破装置だった。

上から大きな声が聞こえた。低い足音が聞こえて、コナンが倉庫に戻ってきた。

「入れた？」コナンはささやいた。「客が来た。音を出さないで」

「ロボットは入れたし、ターゲットに向かってます」ニックスがいった。胡坐《あぐら》をかいて、瞑想しているようにも見えるが、VIZグラスと操縦グラブを使い、ヴァーサトラックスを操って下水道管を進ませていた。

上から女の子の甲高い声が聞こえて、三人ははっとした。スキップの娘が、客に向かってなにか叫んでいる。

「コマンド起爆装置の赤ランプがついた」ニックスがいった。「タイマー、セット」

「おれは気に入らないな」フィンがいった。「いま攻撃すればいい。地区指揮官を殺れるじゃないですか」

「いいえ、上海、ソウル、東京から、代表団が来るのよ。島の外から来た人間をターゲットにして、あたしたちがまだ戦っていることを、海外に伝えないといけない」

「まあいいや」フィンが、皿からまたピザを取りながらいった。「まずロボットを配置しますかね」

「了解」ニックスがいった。遠いロボットを、まだ両手で操縦し、見えない子供と〝せっせっせーのよいよいよい〟をしているみたいに、宙で手をふっていた。「でも、その前にピザを食べさせて」

「おれはあんたの親じゃないぞ。自分で食べな」と、フィンがいった。

「食べられない。操縦グラブから手を抜いたら、あたしたちの奇襲武器が、だれかの便所に登っていっちゃう」ニックスがいった。「それに、あんたみたいなケダモノは、作業が終わる前にぜんぶたいらげちゃうかもしれない」

女の子の悲鳴が聞こえて、ふたりは黙った。スキップの娘だ。だが、こんどは怯えているようだった。コナンの指示を聞こうとして、ふたりは目をあげた。

「ちっ」フィンがいった。「コナンはもう上に行ってる」

メア・アイランド海軍造船所　ミサイル駆逐艦〈ズムウォルト〉

通路に笑い声が反響した。〈ズムウォルト〉艦内のきょうの作業はかんばしくなかったから、ふざけているのがマイクには理解できなかった。

〇二〇〇時の食事の最中に、消火ロボット一台が防炎剤を士官室にぶちまけた。「ゾウが射精したみたいだったぜ」マイクのそばを通った水兵がいった。

それに、けさはもっと大きな問題があった。戦前のATHENAに代わる海軍の新システム、ODIS《オーディス》-E《イー》（オブジェクト指向データ統合システム――強化型）プログラムを試験することになっていた。だが、マイクが見たところでは、システムは電力の結合部《カップリング》を吹っ飛ばしただけだった。

マイクの息子の打ちのめされた顔が、すべてを物語っていた。艦長が失望を隠せないほどなのだから、不吉な先行きを示す挫折であるにちがいない。艦を統制するシステムに、海を十年も彷徨《さまよ》っていたギリシャ人の物語（『オデュッセイア』のこと）に似た名称をつけるとは、上層部はいったいなにを考えているんだ？　だれも歴史のことを知らないし、ネットワーク・エンジニアリングのことも、まったく知らないようだ。マイクの最大の懸念は、そのカップリングだった。スペアパーツは不足しているし、中国メーカーから取り寄せるわけにはいかない。

通路にはいると、マイクは姿を見られないようにして、耳を澄ました。でっぱった腹で増幅されているような、低く響く笑い声が聞こえた。怒りのこもった女の声がつづいて聞こえた。

「軽い気持ちであやまってるようだけど、もっと重大なことなのよ」女がどなった。「ここところに絶縁材をくっつけなかったら、わたしの文句なんかどうでもいいくらいひどい目に遭うのよ」

ドクター・リーだ。

「火薬だか砲弾だか知らないけど、あなたが大昔にやったことで憶えた知識は、いまはまったく役に立たないっていうことを、理解しなきゃだめなのよ。電源ケーブルを絶縁しなかったら、そこから漏れるエネルギーが――」

「いいかげんにしてくれ、お嬢ちゃん」乗組員のひとりがいった。「おれたちはわかってる。だからもうそこを絶縁した。変更したいんなら、作業手順システムに書いてくれ。そうしたら取りかかる。だいじなのはあんたの仕事だけじゃないんだ。それに、あんたの、えー、仕事が正しいっていうのを、だれが証明してくれるんだ？」

「わたしの仕事が正しいかどうかですって？　どういう意味？」ヴァーンがきき返した。

「ああ、その、ちゃんとやったのか、たしかめないとな。信用できる仕事をしてるのかどうか。それでも、もう北京にたしかめてもらったのかい？」また笑い声があがった。「あんたにはこれじゃ不足かもしれないが、いまのアメリカ人にはこれで精いっぱいなんだ。つぎの鉄道貨物がオークランドに来るのは、たしか、来週だったかな？　だからいまはこれでじゅうぶんだ」

マイクには、声の主がだれだかわからなかった。だれにせよ、顎の骨に入れた補聴器で聞いているみたいに、すこしぼやけて聞こえた。だれなのか、見極める潮時だ。

マイクは、角をまわって、咳払いをした。

「きょうはずいぶん笑い声が聞こえる。なにか可笑しいことでもあるのか？」マイクはいった。「おれに教えてくれ。最近、あまり笑っていないんでな」

「ご心配なく、上等兵曹《チーフ》」三十代の二等兵曹、パーカーがいった。「おれたちで片をつけます。光線銃《レイガン》の絶縁を直してるところですよ」

「レイルガン」ヴァーンが正した。

「このスターウォーズの代物を、あんたがなんて呼んでるか、知らないけどさ」パーカーがいった。

マイクは、パーカーをじろりと見た。パーカーが海軍の無料ホルモン強化療法を利用しているのは明らかだった。皮膚がのび切って乾いているが、首まわりと二頭筋がぞっとするくらい太い。まるで妊娠五カ月のボディビルダーみたいだ。マイクはがっかりして首をふった。

訓導乗組員は新世代の戦時乗組員を導くための制度だが、パーカーみたいな新人兵曹も矯正しなければならない。ストーンフィッシュ攻撃で、海軍の指導力のある下士官が減り、標準以下の男女水兵が数多く昇級した。パーカーが上等兵曹になれなかった理由が、マイクにはわかっていた。勤続年数が長いだけでは、上級兵曹にはなれない。同僚の選考委員会でも承認されなければならない。

「このひとは、ドクター・リーだ」マイクは、パーカーにいった。「ちゃんとした呼び名を使え」ヴァーンのほうを向いた。

「必要なものは、きちんと得られていますか、ドクター・リー」マイクは、ドクターという言葉をことさらに長く引きのばした。

「実射試験をやる前に、電源ケーブルをもっとちゃんと絶縁する必要があるの」と、ヴァーンがいった。

マイクは、ヴァーンの顔を見てから、パーカーをじろりと見た。パーカーの巨体にも動じることなく、進み出て胸を突き合わせるようにした。パーカーは体こそでかいが、マイクとはちがって、相手を威嚇する力はなかった。

「さて、このパーカーは、アメリカとアメリカの艦をたいへん気遣ってる」パーカーの目を覗き込んで、反論したければ反論しろと挑みかけながら、ヴァーンに向かって話しかけた。

「そこで、あんたが同胞のアメリカ人なら――くそ、アメリカの艦隊を武装させるために必死で働いている民間人なら——パーカーはあんたのために溶接をやると志願したところだ。金属いじりが、パーカーは大好きだからな」ジムで鉄のウエイトをあげてばかりいるのを皮肉ったのだ。

ヴァーンが、いらだたしげに鼻をつまんだ。「金属溶接じゃだめなのよ。電磁砲なんだから。プラスティックで溶接しなければいけないの。さもないと電磁エネルギーが……結果がわからないひとのせいで、この船を吹っ飛ばしたいの？　それならそれでいいけれど」

「わかった。わかった」マイクはいった。「パーカー、これからおまえに仕事をやる。ドクター・リーが望むような絶縁材を見つけて、取り付けろ。ドクターがいうことを、ちゃんと理解しろ。おまえの大好きなウエイト・ルームから剝がさなければならなくなっても、絶縁材を見つけろ。たとえ造船所の食堂にあるプラスティックのトレイを一枚残らず使っても、やるんだ。わかったか？　賄賂を使ったり、騙したり、盗んだりしなければならなくなっても、ドクター・リーがほしいものを手に入れるんだぞ」

マイクは、他の乗組員のほうを向いた。「パーカーにはいうまでもないだろうが、仲間の乗組員の愛国心をまた疑うようなことがあったら、おれがそいつを挽き肉にして、カモメの餌にくれてやる。よし、仕事に戻れ」

ハワイ統治区　ホノルル　パイナップル・エクスプレス・ピザ

中国海兵隊員は、ピザ店主の倍も大きく、引きさがらなかった。殴られるたびにスキップの肺から、苦しげな息が吐き出された。

海兵隊員のベルトの通訳機が、暴力には関係なく、抑揚のないデジタル音声で命令を述べていた。

「あなたの娘には、われわれといっしょに楽しいパーティに来てもらう」

もうひとりの海兵隊員が、シャロンを押さえていた。はがいじめにして、胸が突き出すような格好を強いていた。シャロンはうなだれ、黒い髪が顔を覆っていた。

「まだ十五歳なんだ」スキップが、あえぎながらいった。「連れていかないで……」

またすばやく二度殴られた。スキップの肋骨が折れる音がして、シャロンがまた悲鳴をあげた。

「黙れ！」海兵隊員が英語でいい、シャロンの腕を強くひっぱった。

コナンは、身をかがめて階段に下がった。

巨漢の海兵隊員のまわし蹴りが決まり、スキップが小麦粉の飛び散るなかを滑って、カウンターの奥に落ちた。眉が白い粉に覆われたスキップが、階段のドアごしに覗いていたコナンを見あげた。

助けてくれ、とスキップが口を動かした。声を出すための息すら吸い込めないようだった。

コナンは、暴動鎮圧ショットガンのピストル・グリップを握りしめ、身を縮めて、見えないところへひっこんだ。

海兵隊員が中国語でべらべらとしゃべるのが聞こえた。

コナンは目を閉じた。中国海兵隊員は四人いる。一〇番径のショットガンには八発がこめられている。ほんの数秒で店内を吹っ飛ばすことができる。

スキップが起きあがって、海兵隊員めがけて突進した。黄色いタイルに頭がぶつかるぐしゃっという音がして、コナンは吐き気をおぼえた。

もう我慢できない。

コナンは、ショットガンを構え、安全装置をはずした。ショットガンの散弾は扇状にひろがるので、レストランにいる他の客に当たらないように、敵にかなり接近しなければならない。カウントダウンした。

三、二、一。

息を吐く。突入。

そのとき凍りついた。これは任務ではない。安全装置をかけた。

スキップが床から起きあがろうとしたが、四つん這いになるのが精いっぱいだった。口からしたたるべとべとの血を吐き出し、頭の裂傷がこしらえた血だまりに、それが混じった。重い音とともに、こんどは頭を蹴られた。

シャロンが悲鳴をあげた。「触らないで！」つぎはくぐもった悲鳴。

コナンは、素足で音をたてないように階段をひきかえした。

「上はどうなってるんですか？」フィンがきいた。

「だいじょうぶ。あたしが見張ってるから」コナンはいった。「客が騒いでるだけよ。でも、裏から出たほうがいい」

フィンが、コナンの腕に手を置いた。「なにが起きてるんですか？」と、もう一度きいた。

「出ていくっていったでしょう。これは命令よ」コナンがいった。

フィン、ニックス、コナンは、レストランの裏から横丁に出て、闇にまぎれ、隠密脱出地点に向けてそろそろと進んでいった。二・五×一・八メートルの鋼鉄製リサイクル容器が、数ブロック先にある。三人はそのなかに潜り込み、体温シグネチュアを拡散してくれる、カビ臭い段ボールやアルミ缶で体を覆った。

「爆発まで十秒」フィンがささやき、カウントダウンした。

「点火」フィンがいった。

なにも起こらない。

「まあ、ピザが食べられたから——」ニックスがいった。

遠くで爆発が起きて、爆風がリサイクル容器をすこし揺らした。

それから数時間、朝になって迎えが来るまで、三人は無言で待った。静けさを破るのは、ときおりそばを通るサイレンの音だけだった。早朝になってようやく、フィンが気になっていたことを、また持ち出した。

「コナン、まじめに答えてほしい」フィンがささやいた。「上の騒ぎはなんだったんですか？　それに、スキップとシャロンは無事だったんですか？」

「ええ、だいじょうぶ」コナンはそっといった。「任務に専念するのよ」

アーカンソー州　ベントンヴィル　ウォルマート本社

「この法律は法的に問題があるし、明らかに非アメリカ的だ」

ジェイク・コルビーのその論拠は、分析ソフトウェアから生まれたもので、法務部と広報部に確認されていた。問題をすり替えて、一九五〇年の国防生産法を適用するというホワイトハウスの提案は中国のような専制国家のやることだと論じるのが、もっとも有効な対策だと、法務部も広報部もウォルマートのCEOジェイク・コルビーに助言していた。

朝鮮戦争勃発とともに成立した国防生産法は、国防のために必要であると見なされた政府の発注にすべてのアメリカ企業が応じることを求める権限を、アメリカ大統領にあたえるものだった。コルビーCEOはいま、ウォルマートは大手多国籍企業の連合体に参加し、裁判所と議会に対するロビー活動によって国防生産法の復活を阻止しようとしていることを、株主に説明しているところだった。

「戦争に負けるのは、非アメリカ的よ！」デニムのパンツスーツを着た七十歳の女性が、コルビーにどなり返した。無視できないことはわかっていた。リー・アン・ティルデンは、ウォルマートの既発株の四パーセントを握っている超億万長者でありながら、タルサ店でいまだに顧客案内係をつとめている。

ウォルマートは法律的には〝個人〟であると規定される法人であり、したがって戦時であろうと政府がどうしろと指図することはできないという論拠を、コルビーはあらためて説明しようとした。

「法律で〝個人〟と規定されている？」リー・アンが反論した。「コルビーさん、そんなのは問題のすり替えだし、サムだったら、なんであろうと国の手助けになることをやるに決まっている。あなたにもそれはわかっているはずよ」

コルビーがいい返す前に、べつの声が割ってはいった。ドイツ系スイス人のなまりだった。こちらは機関投資家のファンドマネジャー——アメリカがハワイを失った直後の株価大暴落のときに一七パーセントを買い込んだ、カタールのソブリンウェルスファンドの代理人だった。「奥さま、株主総会でだれでも発言できるという、この会社の昔ながらのやりかたは、すばらしいと思いますよ。しかし、奥さまはこの会社の多国籍企業としての性質がまったくわかっておられない。この事業は、どこかの国の戦争運営とは関係ないのです。本社がどこにあろうと、ウォルマートはグローバルなチェーン展開の小売店であり、行動も意図も明らかに中立なのです」ファンドマネジャーがいった。「アンクル・サム（ポスターで擬人化されたアメリカ政府のこと）とかいうおっちゃんのご意向は、この際関係ない。おかしな帽子をかぶった愛国的なおっちゃんは、はなはだしく時代遅れの発想なのです」

聴衆が怒ってうなるのが聞こえ、コルビーはファンドマネジャーの失言に顔をしかめた。よくあることだ。外国人はウォルマートのリターンには目がないが、その背景にある物語を理解しようとしない。サムといったら、サム・ウォルトンに決まっているだろうが、この間抜け。本社のそばの博物館に、創業者サム・ウォルトンのデスクが展示してある。死んだ日に目を通していた書類もある。まるで休憩してコーヒーを飲みにでも行ったような状態で。「紳士淑女のみなさん、注意をそらさないようにしましょう」コルビーは、仲裁した。「いまのアメリカ政府は、だいぶ権限が弱っているとはいえ、その権限を踏み越えているかどうかということだけが問題なのではありません。わたしたちはきわどい道を歩んでいます。中国はわたしたちの会社のネットワークに無数の仕掛け爆弾の引き金やウイルスを仕掛けています。わたしの髪の分けかたが気に入らないというだけでも、会社を制御できないようにされるかもしれないのです」

「だったら、どうせ失うものはないじゃないの」リー - アンがいった。「採決を求めます」

その株主総会のVIZ動画はリークされて国中に知られた。リー - アンが起こした革命では、人命の損失はなかったが、きわめて重大な転機になった。ソブリンウェルスファンド陣は、総動員された小口の投資家陣を阻止できなかった。そして、総会が終わりにさしかかると、株主たちはもはやアメリカ政府の配給計画に抵抗するかどうかに投票してはいなかった。ウォルマートは中国に宣戦布告していた。

ウォルマートの会議場で歓声をあげている株主数千人を眺めているうちに、コルビーの顔から血の気が引いた。視野が狭窄《きょうさく》し、ふたつの考えが頭をよぎった。ひとつは、この大失態のあと、つぎの仕事を見つけるのは難しいだろうということだった。そして、もうひとつは、アメリカはこれまでの戦争では類を見なかったような確固たる兵站基盤を手に入れた、ということだった。

ヴァーンがかがんで、隔壁の裏を通っている太い光ファイバー・ケーブルを手でなぞっているのを、マイクは見つけた。オゾンの強いにおいが漂っている。ここの内部を見られるように隔壁を切断してほしいとヴァーンがいい張ったのは、それが原因だった。ヴァーンがなにをやろうとしているのか、マイクには理解できなかった。だが、ヴァーンの変わりようは気に入っていた。ヴァーンは博士号を持っているかもしれないが、自分とおなじように物を作り、物事をやる人間なのだと、マイクにははっきりとわかった。

ヴァーンは不意に、自分がひとりで作業するといい、エンジニアを全員遠ざけるよう命じた。「マイク、彼女はあんたからあの命令口調を教わったのかい？」第一甲板に行く途中で、ひとりがそういった。

マイクの知るかぎりでは、ヴァーンは陸のネットワーク・データ・センターよりも艦内にいる時間のほうがずっと長く、一週間に一度も造船所を離れなかった。もうZ以前の話はしない。マイクにはその気持ちがよくわかった。なにもかもが、Zを中心にまわるようになるのだ。

マイクは、冷たい水のペットボトルを、ヴァーンのそばに置いた。ヴァーンは、マイクがそこにいるのにも気づかないふうで、膝に置いたタブレットを見つづけている。マイクはすこしうしろにさがって、首をのばして隔壁の裏側を覗いているヴァーンを観察した。LED懐中電灯を出し、ヴァーンのそばでしゃがんだとき、膝の関節が鳴った。

「ちょっと手伝おう」マイクはいった。「明かりがある」

ヴァーンがほほえみ、作業をつづけた。ヴァーンが言葉すくなに指示した場所を、マイクは照らした。自由な時間がなくてシャワーを何日も浴びていないのがわかりそうなくらい、体を近づけなければならなかった。だが、ヴァーンはたじろがなかった。

十五分ほどたち、マイクはそろそろそこを離れる支度をした。

「懐中電灯は持っていてくれ」マイクはいった。「上に戻らないといけない。レイルガンの砲塔を持ちあげてるんだが、今夜はだいぶ霧が出てる。なにか用があれば呼んでくれ」

ヴァーンはなにもいわず、タブレットを見つめては、隔壁の裏側の暗がりを覗き込んでいた。

マイクはよろよろしながら立ち、用心深く歩いて離れていった。

水密戸を潜ろうとしたとき、ヴァーンが「ありがとう」というのが、たしかに聞こえたと思った。

マイクは立ちどまって、ふりむいた。

かがんでいるヴァーンのそばへひきかえす十一歩が、マイクには長い道のりに思えた。だいじなことをきかなければならない。いまを措いては、その機会はない。

「ドクター・リー、一分だけいいか？」マイクはきいた。

「いま？」ヴァーンがきき返した。

「ああ、できれば」マイクはいった。

「それで？」ヴァーンがいった。

「話さなければならないことがある。じつはお願いだが。ちょっと難しいことなんだが、だいぶ前からいおうと思っていたんだ」マイクはいった。

ヴァーンが立ちあがって、ＶＩＺグラスを額に押しあげ、鼻のてっぺんの汗ひと粒を払った。

「いいにくいことだから、ずばりといおう」マイクはいった。「レイルガン電源システムは、どこかに問題がある。そうだろう？　だからあんたは乗組員やおたくたちに必死で発破をかけてるんだ。みんなが知らないことを、あんたは知ってる」

否定されるだろうと、マイクは思っていたが、ヴァーンはにっこり笑った。

「そのとおり。このままでは試射できない」ヴァーンはいった。

「くそ」マイクはいった。「艦長はまいっちまう」

「わたしたちみんなもよ」ヴァーンはいった。「まだわからないけれど」

「艦長に報せないといけない」マイクはいった。

「艦長が好きなのね」ヴァーンはいった。

「艦が戦えなかったら、艦長も戦えない」

「息子さんですものね。なにもかもがうまくいくようにしたいのは当然よね」

「それじゃまた、ドクター・リー」マイクはいった。

「わたしにきくことがもうひとつあるのを、忘れているんじゃないの？」

「ほう、どんなことを、ドクター・リー？」

「大きな問題」ヴァーンはいった。「いちばん重要な問題」

マイクは、不思議そうにヴァーンの顔を見た。

「いったいぜんたい、ちゃんと働いてくれるのか？　ということ」ヴァーンはいった。

マイクは、にやりと笑った。「まあ、それはあんたしだいじゃないのか」

「時間をちょうだい」ヴァーンはいった。「あなたみたいなお年寄りは、辛抱の大切さを知っているはずよね」

サンフランシスコ　フォート・メイソン

ジェイミー・シモンズはベッドに潜り込んだが、神経が昂ぶっていて、すぐには眠れなかった。湾内に集まっている急ごしらえのゴースト・フリートの各艦のことを考えた。国がもっとも必要としているシモンズの艦が、弱点になりかけている。シモンズは仰向けに寝て、ゴールデン・ゲート・ブリッジの路面まで達している霧峰を眺めた。霧はほとんどわからないような速さで昇ってきて、大きなものまで覆い隠してしまう。どうやっても払いのけることはできない。潮とはちがって不規則に現われるので、見えるのがあたりまえだと思っている橋のような光景を奪われると、いっそう壮観なのだ。

下水管のゴボゴボという大きな音で、リンゼイが目を醒まし、朦朧としたまま寝返りを打った。

「いたの。帰ってきたのに気がつかなかった」リンゼイがいった。

「ああ」シモンズはささやいた。「起こしたくなかった。あの音は？」

「洗面所の下水管」リンゼイがいった。「また壊れたの」

「くそ。朝になったら見るよ」

「いつ？　あなた、いつだってかなり早くに出ていくし」

「それじゃ、帰ってきてから」

「いつになるの、ジェイミー？　軍艦の修理はできても、洗面所は手に余るっていうわけ？」リンゼイがいった。「だれかには納得できる理屈かもしれないけど、あたしにはもう耐えられない」

艦艇は愛人みたいなものだ、という海軍の古い俚諺がある。美しく、魅惑的で、謎めいて、世話が焼けるので、しまいには結婚生活を壊す。

「いま見るよ」シモンズはいった。棘のある声だったので、リンゼイが片肘を立てて身を起こし、シモンズをじっと見た。

「いいたいことがあるのなら、いって、ジェイミー」リンゼイがいった。「なんでもいえばいいのよ」

口からどんな言葉が出てくるか、自分でもわからなかったので、シモンズはただ妻の額にキスをした。重い足音が、すべてを語っていた。仕事で感じているいらだちを、今度は家でも味わうはめになった。

三十分のあいだ必死でいじったが、直せず、あきらめてベッドルームに戻ると、ベッドでは子供たちがリンゼイといっしょに眠っていた。マイクが流しのうしろにつっこんで置いていった工具で、ガタガタ音をたてたので、起こしてしまったにちがいない。シモンズは部屋の隅に置いてある古いリクライニング・チェアに座って、暗がりで三人を眺め、三人の寝息でストレスといらだちを洗い流そうとした。いちばん修復したいものを直せないのではないかと、不安になっていた。

目が醒めると、午前五時をまわっていた。くそ。一時間も寝すごした。

「お便所は直った、パパ？」ベッドからぼうっとしているマーティンがきいた。

「いや、まだ壊れたままだ」シモンズはいった。

「おじいちゃんを呼べば！　おじいちゃん、直せるから」クレアがいった。

「電話してみたら」リンゼイが、シモンズに用心深い目を向けながらいった。

シモンズが首をふると、センサーが四人の動きを感知し、天井の照明がしだいに明るくなった。「おれは直すといったんだから直す」

「おじいちゃんに来てもらおうよ！」クレアとマーティンが叫んだ。

「まだ子供が起きる時間じゃないでしょう」といって、リンゼイがふたりをベッドから追い出した。「自分の部屋に戻って」

「おじいちゃんは呼ばない」子供ふたりを廊下に連れ出すのに、リンゼイがそばを通ったときに、シモンズはささやいた。

バスルームに行って、シャワーを浴びた。冷たい水の容赦ない飛沫を浴びながら、悪態を漏らした。こんなふうに家にいられる晩は、もう数えるほどだ。シャワーをとめ、身ぶるいした。父親もこんなふうに、家族との結びつきがほころびるのを見ながら、どうにもできずにいたのだろうか？　それとも、修復する気もなかったのか？　そこが大きくちがう。おやじはやろうとしなかった。そこがちがうはずだ。おれはあきらめるつもりはない。

おれはおやじよりもましな人間だ、とシモンズは自分にいい聞かせ、目をしばたたいて疲労と冷たい水を払いのけようとした。最悪のときでも、おれはおやじよりもましだ。

ハワイ特別統治区　ホノルル

キャリーは、ビーチへ着ていった古い〈ハーレー〉の黒いプルオーバーの身頃で両手をこすった。それからバックパックをバスルームに持っていって、ドアを閉めた。

まだ濡れている水着のボトムをバックパックから出し、シャワーに投げ込んで、砂を湯で洗い流した。それから、バスルームが湯気で濛々《もうもう》とすると、服を脱ぎ、曇った鏡で自分の姿を見た。裸の体が目にはいったが、ガラスに水気がついているせいで、その美しさがぼやけ、だれだか見分けがつかなかった。名前のない女だった。

シャワーを出ると、バックパックから小さなコンパクトを出した。カウンターに置いて二度軽く叩くと、蓋があいた。右手の人差指をなめて、コンパクトのへりをなぞった。あった。

その手を光にかざすと、髪の毛が見えた。フィアンセの黒いプラスティックのヘアブラシを、カウンターに置いてあった靴箱から出した。指をそっと吹くと、髪の毛がブラシに落ちた。キャリーは注意深く、ヘアブラシを靴箱に戻した。

キャリーは便器に腰かけて、目を閉じた。彼らがまた見えた。やがて、フィアンセの顔が見えて、ようやく父親が見えた。

左腿にこしらえた長さ二・五センチの切り傷が、男ふたりの映像を消し去った。目を閉じたままだったので、足もとのブルーのタイルにしたたる血は見えなかった。ハサミが床に落ちるガタンという音が、意識を乱暴に引き戻した。痛みに悲鳴をあげそうになるのを押し殺して、掌の血を拭いた。流しにタオルを取りにいったところで、動かなくなった。鏡の曇りがだいぶ撮れて、キャリーは自分の目を見ることができた。

あたしは名前のない女じゃない、とつぶやいた。あたしは死よ。

ユタ州　オグデン　ウォルマート印刷施設

さまざまな点で、古いゼロックスのコピー機が動いているのを見るようだった。新素材グラフェンでできたチップの薄い層が、テーブルの片側から反対側に滑ってゆくローラーによって吹き付けられる。単純にいえば、炭素の原子が金網とおなじような六角形の構造にならべられたもので、軽くてじょうぶなすばらしい導体になる。だが、さらに重要なのは、黒煙や炭など、あらゆるものと共通する炭素原子から作られるので、原料を手に入れるのが容易であることだった。じつは、この機械のグラフェンは、石炭火力発電所の煙から抽出されたものだった。

レーザーが発射されると、物の焼けるにおいがして、光線がグラフェンの塵を捉えたところで小さな炎があがり、粒子を溶かして融合させた。そこでローラーが逆戻りし、つぎの薄い層を敷いて、またレーザーが発射された。その手順が、何度もくりかえされた。

きわめて薄い層の一枚一枚で、レーザーは粒子に新しい形を刻んだ。紙片を重ねてゆくような感じで、ひとつの形が徐々にできあがった。レーザーがそれらをすべて融合させると、ハチの巣に似た複雑な格子状のものができあがった。ロボット・ハンドがのびて、その物体を三〇度まわし、電気コードを差し込むあいだ、ローラーは動かなかったが、また層を重ねる作業が再開された。十分で完成した形になった。ロボット・ハンドがふたたびのびて、それを持ちあげ、こびりついていた埃を風で吹き飛ばした。それから、機械の外に運び出し、段ボール箱に入れた。それが六十個、段ボール箱に入れられると、警報が鳴った。

人間の作業員が走ってきて、すばやく箱の蓋を閉じ、ガムテープで密封した。作業員がバーコード・ステッカーを貼ると、べつの作業員がロボット・パレットに箱を載せ、パレットが自動的に通路を移動していった。庭に置く地の精《ノーム》や子供の自転車がかつて積まれ、保管されて、各店舗への配送を待っていたところに、いまは機関銃の給弾ベルトや車輪取り付け部の金具など、リバースエンジニアリングで製造されたさまざまなスペアパーツの段ボール箱が積んである。さきほど製造されたのは、メア・アイランドで必要な電源カップリングだった。倉庫の外では、十八輪の大型トレイラー・トラック一台が、翌日までに仕分けされて配達される、さまざまな品物の目録を用意して、待機していた。

印刷施設内では、3Dプリンターとも呼ばれるダイレクト・デジタル・マニュファクチャリング（DDM）マシーンが、作業をつづけていた。新しいソフトウェア・パッケージがダウンロードされ、さっきとはまったく異なる物体の製造がはじまっていた。この製造プロセスは、組み立てラインのように効率的で、そのうえ要求に応じて変更できる柔軟性があり、コンピュータのソフトウェアでモデリングできるものなら、どんな設計のものでも作れる。

さらにすばらしいのは、それによる再生産が可能なことだった。リー・アンが結集した株主が可決した手順では、作業の十分の一を3Dプリンターの部品製造に割りふることが規定されていた。それをかつてはウォルマートのサプライチェーンだった会社に安値で売る。こうして、マニュファクチャリング革命と進取の防衛産業をはぐくむ作業が、世界最大の小売チェーン内で開始されていた。

上海　元フランス租界　蓮花クラブ

儀式のようになっている習慣は死を招くおそれがある。だが、身を護るのにも役立つ。毎日おなじパターンをくりかえせば、見張っている人間に、やましいことはなにもないと思われるようになる。

そこで、ロシア空軍のセルゲイ・セチン少将は、もう三年も蓮花クラブに通っている。いつもおなじ女。名前はきいたことがない。番号だけ知っている。二十三番。

二十三番は漆黒の髪をショートに刈り、つんつんと立たせている。だらしない感じではなく、官能的だ。チベットあたりの出身かもしれない。セチンにはよくわからなかった。きいたこともないし、気のない会話を仕掛けたこともなかった。会うときにいつも、女が黒い目をかすかに光らせるように思えるのは、そのためかもしれない。会うのは二週間に一度だった。それでじゅうぶんだ。こっちはもう若くはない。

彼女はもちろんマイクロチップを埋め込まれている。この年配の男が、老いと衰えからつかのま逃れるために、精いっぱいセックスをしようとするときに、中国の情報機関は必要な生体情報をすべて手に入れているはずだ。だが、蓮花クラブの場合には、彼女は四方の壁と天井のスクリーンとも接続している。スクリーンで脈打つ色が、彼女の興奮の度合いを示している。絶頂に達したときの光の爆発はいつも、セチンがそれまでに見たことがないようなすごさだったので、どういう薬を飲んでいるにせよ、効き目があるようだった。まるで部屋のなかで北極光《オーロラ》が輝いているみたいだった。

コンシェルジュがいつもの部屋にセチンを案内して、戻っていった。セチンは一度ノックして、はいっていった。

だが、女はいつもの二十三番ではなかった。

紫のシーツの下の女は、ブルーの髪で、彫りの深い北欧系の顔立ちだった。これが暗殺だとしたら、まったく予想外のやりかただ。セチンは出ていこうとして、背を向けた。うしろから撃てばいい、卑怯者。

「ベ・イフ・メジ・イヴ?」女がいった。

セチンは凍りついた。

クリンゴン語。女はクリンゴン語を口にした。（クリンゴンは、《スタートレック》に登場する架空のヒューマノイド型異星人）

「なんといった?」セチンはきいた。

「ベ・イフ・メジ・イヴ?」女がくりかえした。

セチンは興味をそそられた。手がこんでいて、中国やロシアの情報部がやることとは思えない。

「だれが美しい女を置き去りにするのか、という意味だな？」

セチンはベッドに腰かけて、女の脚に手を置いた。

「そうか。言葉が通じるようだ――なんの話をしようか？」セチンは、クリンゴン語で応じた。

「はいって」女がいった。「寒いの。あなたに温めてもらわないと」

「気をつけないと、ぎこちない話で、年寄りは萎えてしまうかもしれないよ」

「それなら手伝ってあげる」女がシーツを引きおろし、乳房を見せた。「なんなら大きくしてもいいのよ。それとも小さくしても。お望みどおりに」ナイトスタンドに、マッチ箱くらいの装置を置いた。

ビオモルフィック乳房増大は、中国ではかなり普及して安価になっている。ロシアでは禁止されているのでめったに見られない。それに、かなり腕のいい医者が手術をやったにちがいない。

「やらなくていい」セチンは、小声でいった。「そのままで完璧だ。ほんとうに」

セチンはすばやく服を脱ぎ、ベッドの足の側に積んでおいた。

「靴下は」女が、くすくす笑った。

「靴下がどうした？」いいながら、セチンはベッドにはいった。

「脱げばいいのに」

「ぜったいに脱がない。早く逃げられるように」セチンは、ウィンクしながらいった。

「あまり早すぎるのは嫌よ」女がいった。シーツをふたりの上にかけた。その上から、薄いメタリックな素材のブランケットをかぶせた。

女に手で口をふさがれ、女の目が冷たく真剣になるのを見て、セックスをするのではないと、セチンは悟った。殺されることもない。楽あれば苦あり。それが情報活動だ、とセチンは思った。

女がブランケットの下に手を入れ、カチリという音が聞こえた。つぎに聞こえたものに、セチンはぎょっとした。セチンと前の二十三番がセックスをしている音が、部屋中に響き渡った。わたしはほんとうにこんな声を出しているのか？　脇腹に槍が刺さっているイノシシみたいじゃないか、とセチンは思った。

「連邦にいるわたしたちの共通の友人が、よろしく伝えてくれって」女が、セチンの耳もとでささやいた。

では、アメリカ人にすっかり聞かれていたのか。

「それじゃ、教えてくれ。肝心なときに彼がわたしに耳を貸さなかったのはなぜだ？」セチンはいった。「チェレンコフという言葉を口にしただけで、たいへんな危険を犯したんだぞ。彼は手を打つことができたんだ」

「いま手を打っているところ。あなたに協力してもらいたいの」

「待て、チップを埋め込まれているんだろう?」セチンはいった。

「ええ、でも蓮花クラブのじゃない。わたしはまだ新人だから」女がいった。「お店では、わたしが上玉かどうかをたしかめてから、投資するつもりなのよ。さあ、チェレンコフについて教えて。《スタートレック》のごたくは抜きでね」

ブランケットの下の空気があっというまに暖まり、暑さと女が体をくっつけているせいで、セチンは顔がほてってきた。乳房のあいだで汗の流れが弧を描き、ウェストを巻いている大きなタトゥーのほうへ進んでゆくのが見えた。

「三年ほど前に、モスクワ郊外にあるロシア先端研究開発機関で開発された。きみらのDARPA(国防高等研究開発局)に相当する機関だ。宇宙から原子炉を探知するのが目的だ」

「どういう仕組み?」女がきいた。

「説明している時間はない。持っていってもらうものを、つぎのときに渡す」セチンはいった。「わたしがこういうことをする理由も、きみの上司は知りたがっているはずだ」

「わたしといっしょにベッドにはいること?」女がきいた。

「それはわかってもらえるだろう。アメリカ人はあまり上品ぶらないからね」

「わかった。それじゃ、なぜ?」

「われわれの指導者は、年老いても偉大であろうとするあまり、これがやがてはロシアにとって裏目にでることがわかっていない。アメリカとロシアは前の世紀に対立したが、それは済んだことだ。わたしはこっちに長くいるから、中国がほんものの脅威だというのがわかっている。それに、この戦争はやつらの力を強めるいっぽうだ。ロシアは下位のパートナーに成り下がっているし、国内に千五百万人の中国系住民を抱えている。老スパイでなくても、近い将来、シベリアの中国系住民を〝保護する権利〟をやつらが主張することは、目に見えている。われわれが近隣の弱国に対してやったのとおなじことだ。だから、きみたちの情報将校に警告しようとした。あまり役に立たなかったようだがね」

「たいがい、個人的な理由があるものよ。あなたは、なにがほしいの？」女がいった。

セチンは溜息をつき、女の乳房のあいだを一本指でなでた。

「ねえきみ。ほしいものは、みんなおなじじゃないか？ 金。セックス。ほんの小さな権力。三つのどれでも、好きなように解釈してくれ。もう好みがやかましいほうじゃないからね」

女があきれて目を剝いた。そのすぐあとに、録音された二十三番とのセックスが、獣じみた急な終わりかたをした。女が手をのばし、また再生した。

「心配しないで。二度目をやってるように作り変えてあるから」女がセチンの耳にささやいてから、顔を離し、じっと目を見たとき、うめき声がまたはじまった。「信じられない。あなたのプロファイルを見たのよ。ひどくロマンティックだから、平凡な動機で動くはずがない」

「〝ひどくロマンティック〟だと、いっしょに寝ている娼婦にいわれるのか」

「わかった。お好きなように」甘えるような声が、命令口調に変わった。「手をここに置いて」

女がセチンの片手をとって、ウェストのほうへひっぱり、タトゥーのところでとめた。

「これがなにか知ってるでしょう?」

感触ではなにもわからなかったが、想像はついた。「新式のEタトゥーだな」

女が、一瞬驚いた顔をした。

「きみが考えているほど古い人間じゃない」

タトゥーのインクは、旧式のタブレット型電子ブックに使われていた電子インクの派生物だった。この改良型では皮膚に注入された液体が、基盤の役目を果たす。そして、超小型のシリコン・チップが、折り紙みたいな模様に接続される。液体と微細な曲がりくねった配線が、皮膚に超小型ネットワークとして埋め込まれている。セチンは目を閉じて、その輪郭をたどりながら、ドミートリイ・ショスタコーヴィッチの交響曲第五番の中盤部分をくちずさんだ。

「あたしのためにやってほしいことがあるの。正直にいうけど、ちょっと痛いわよ」女がようやくいった。「でも、あなたの提供する情報をもらうには、これがいちばんいい方法だと、わたしたちは考えているの」

「そういわれるんじゃないかと、怖れていた」セチンはいった。

女が、セチンの頬にそっとキスをした。

「痛みのことがわからなかったら、よろこびを知ることはできないでしょう?」もう一度キスして、女が返事をした。

ハワイ特別統治区　オアフ島　カウコナフア川北流

「ペースを速めて」川に膝まで浸かって歩きながら、コナンは叱咤した。「さもないと敷地内にはいる時間枠に間に合わない」

フィンは答えなかった。泥を踏むサンダルがズボズボという音をたてているばかりだった。川は低く窪んで、エメラルド・グリーンの植物と茶色の崖に囲まれていた。ふたりは背を丸めて歩き、ウールの毛布が痛む肩から重たげに垂れていた。ふたりはパトロールの最後尾で、戦士《ムジ》四人が先行していた。先頭の路上斥候《ポイント》は、チャーリーだった。チャーリーは軍人ではないが、鍛える潮時だった。タートル・ベイ・リゾートのゴルフプロで、かつてはウェイク・フォレスト大学の花形選手だったが、ナイキのツアーのレベルから上には行けなかった。フィンはチャーリーの兄アーロンとおなじ部隊にいたことがあり、アーロンが休暇で帰ってきたときには、よく三人で飲みにいった。戦士たちは、二カ月前にチャーリーのアパートメントを隠れ家に使っていて、いっしょに行きたいとチャーリーがいい張っていた。小さいときに兄貴にさんざんいじめられたし、戦闘に参加していなかったことを戦後に知られたら、半殺しにされると、チャーリーはいった。

近くの峰の頂上近くまで登るために、六人の脚は切り傷や擦り傷だらけになった。尾根に影が浮かんで位置を知られないように、頂上の一五〇メートル下で停止した。コナンが一時間ほど姿を消し、あとの五人が下で警戒にあたった。コナンはフィルにもあとの四人にも、山に登った理由を教えなかった。作戦上の秘密保全のためだとわかっていたが、そのせいで一行はずっと不機嫌な顔で歩いていた。

そしていま、長い時間をかけて下山したあと、雨が降りはじめた。フィンはコナンのあとから水かさが増した川に跳び込んで、水のなかを歩いていった。そうすれば足跡が残らないし、上空から監視されていたとしても、移動シグネチュアを消せる。だが、どのみち川のルートを選んでいたはずだった。フィンは踵の切り傷が化膿していて、水のなかのほうが痛みがましだった。

戦士たちは、自転車を隠してあった小さな歩道橋に到着した。武器とおなじように、どこかで手に入れた雑多な取り合わせだった。フィンがいちばんいい自転車を獲得していた。バイクなみのサスペンションを備えた、二七・五インチのカーボン製ダウンヒル・マウンテンバイクで、別荘から盗んだのだが、持ち主は戦争が終わるまで来ないにちがいない。コナンは、三段変速の色褪せたグリーンのおんぼろ自転車に乗っていた。細い白のレーシング・シートが付いていて、鍵もかけずに道端に転がっていた。こうして戦時の任務に使われる前には、酔っ払いがバーからバーへ行くのに使う、持ち主不明の自転車だったのだろう。

戦士たちは一列と二列で、ヒドゥン・ヴァレー住宅団地からカリフォルニア・アヴェニューに向かった。無人機と衛星の撮影した画像を中国軍の追跡アルゴリズムが分析するので、見晴らしのいいところをこうやって走るには、念入りな演出が必要だった。ふつうではないパターンはやがて見分けられて、ターゲットにされるおそれがある。ふつうの交通の流れの一部になっているパターンを見つけ、なおかつ異常ではないと見なされないように、ほんのすこし不揃いな要素を加味するのが肝心だった。コナンたちは、子供が自転車で小学校に行って帰ってくる毎日のリズムに、パターンを合わせていた。

通学する子供たちの流れが、イリアヒ小学校にはいっていった。独りで通学しているものが少数いるほかは、親に送り迎えされている。流れがゆるやかになると、コナンはフィンに顎で合図した。パトロールとおなじように、不規則な間をあけるようにしていた。遅刻気味の生徒たちといっしょに校内にはいってから、体育用具をしまってある裏の別棟に向かった。これまで四カ月のあいだ、体育教師のモアキ・コーチが、手榴弾、興奮剤、弾薬の箱をそこに隠すのを許可していた。ときどきそこで眠ることもあった。装備の隠し場所は、ほかにもあちこちにある。他の教師も何人かは気づいているはずだが、アイコンタクトをするものは、ほかにはひとりもいなかった。

「なあ、これをやる前に、おれはトライアスロンをやってたんですよ」道路脇の茂みで待っているときに、フィンがコナンにいった。「〇五〇〇時に起きて、自然歩道《トレイル》ランニング、それから自転車で三〇キロ走る。それに野宿。遊びでやった。いまやってることと、あまり変わらない。まあ、そんなことはどうでもいいや。これがすべて終わったら、ニューヨークに引っ越して、二度と野外では遊ばない」

ふたりが自転車にまたがった瞬間、銃声が響いた。

「拳銃」コナンはいった。「学校から聞こえた」

ハワイ特別統治区　ワイキキ・ビーチ　モアナ・サーフライダー・ホテル

その古いホテルには、何度となく来たことがあった。泊まるためではない。トラック爆弾のターゲットにうってつけに思えるからだ。よく来るのは、泳ぎ、新鮮なパイナップルやグアバ・ジュースを飲むためだった。ビーチは最高で、この海岸線を占領するためだけでも、侵攻する甲斐があるかもしれない、とマルコフは思った。許されるものなら、このビーチで眠りたかった。中国人が兵舎に使っている空港近くの安モーテルよりもずっといい気分になれるだろう。

きょうは、砂浜で一日を過ごすのには、まったくそぐわない相棒がいっしょだった。簡中尉が、例によって忠実に付き従っていた。

マルコフは、太平洋の陽射しを浴びて日ごとに色褪せてゆく、ロシア軍の戦闘服を着ていた。地元の服を着たかったが、何回か着たときには、玉将軍に嫌味をいわれた。

エアコンの涼しさを味わうために歩度をゆるめて、ふたりはロビーを横切った。中国軍の水兵、歩兵、海兵隊員の群れのあいだを縫って進むとき、簡が五メートルも遅れていることに、マルコフは気づいた。あの野郎、ロシア人といっしょなのを仲間に見られると面子がつぶれるから、ただおなじ方向へ歩いているふりをしている。

バーのそばを通ると、マルコフは急に喉が渇いて、足をとめそうになった。だが、誘惑をふり払い、そのまま目的の場所へ向かった。

「ハイ、兵隊さん」サーフィンの受け付けデスクにいた女がいった。「ごめんなさい。お仲間がぜんぶ借り出したの。ボードは残っていないの」

女のなにげない口調に、マルコフはちょっと驚いた。ハワイに来てからずっと、地元の人間が怒りを含まないでしゃべるのは、一度も聞いたことがない。だが、この女は、シカゴから来た日焼けした家族連れ四人に話しかけるような口調でしゃべっている。ドラッグでかなりラリっているか、頭が鈍いのだろう。

「ほんとうに残念」女がなおもいった。「きょうは初心者向けの絶好のうねりが出てるのに」

マルコフは、デスクにもっと近づき、女の視線を捉えた。

「あいにく、これは仕事でね」マルコフはいった。「ビーチで死体で発見された中国軍士官について、情報を集めているんだ」

「聞いた」女がいった。「かわいそうに」

デスクの名札には、キャリー・シンとあった。マルコフはキャリーの体に視線を走らせ、胸はさっと通りすぎて、腕をよく見た。針の痕があれば、こういう態度も納得がいくかもしれない。腕にファウンデーションを塗ってあるようにも見えたが、肌をもっとよく調べないと、たしかではなかった。

「たしかにね。彼がホテルのボードを持っていたのは、どうしてかな？」と、マルコフはいった。

「時間外に持っていったんだと、わたしたちは思ってます。もう鍵をかける必要はないと思っているのよ」キャリーがいった。盗まれたかもしれないのが嘆かわしいとでもいうように、声が低くなり、肩を落とした。

「彼に最後にボードを貸したのはいつ？」

「一度見かけた」キャリーがいった。「二週間くらい前かしら？　サーフィンははじめてだといってたような気がする。おおよろこびしてた。レッスンしてほしいといわれたけど、そのときは無理だった。教えればよかった。サンディ・ビーチ・パークは、サーフィンをやるのには、いちばん危ない場所なの——初心者向きじゃない」

マルコフは、キャリーの日焼けした肌が冷え冷えとして見えるのに気がついた。つぎの質問をするために身を乗り出したとき、化粧を落としたら目の下の隈はどれほど濃いのだろうと思った。

「わたしが話を聞いたほうがいいような従業員が、ほかにいるかな？」マルコフはいった。

キャリーが笑みを浮かべて、身を遠ざけ、ストレッチをするような感じで背をそらした。

「このホテルは、だれにとっても、街でいちばん安全な場所です。それが肝心じゃないですか？」キャリーがいった。「それをどうして壊そうとするのかしら？」

「ああ、そうだね」

「どうして死んだのか、聞いてないんですけど」キャリーが、好奇心を満たそうとして、おしゃべりをつづけた。地元のほかの人間が、そんなふうに厚かましくなることはない。「なにがあったんですか？」

「ボードのリーシュが首に巻きついたんだ」マルコフはいった。「しかし、事故だったのかどうかは、まだはっきりしていない」

「なんてこと。恐ろしい」キャリーがいった。「ビーチを写した画像はないの？　防犯カメラとか？」

「ない」マルコフはいった。「なにもない」間を置いた。「しかし、警備強化の一環として、もっと役立つものをここの従業員から集める」

「画像より役に立つの？」キャリーがきいた。

「ずっと役に立つ。ＤＮＡだ」マルコフはいった。「それを使えば、われわれの友人が島のどこにいても、追跡できる」

「わたしのような友人？」

「そのとおり」と、マルコフはいった。

ハワイ特別統治区　ワヒアワ　イリアヒ小学校

死体はうつ伏せで大の字になり、地面に横たわっていた。生徒たちと遊ぼうと思って持ってきたサッカー・ボールを、中国海兵隊員がメッシュの袋から出したところで、ボールが散らばっていた。鮮やかなピンクとイエローのボールが、校庭を転がり、血の跡を残していた。

ＳＩＧザウアーＰ２２０を握っていたニックスの手から、つかのま力が抜けたが、またしっかりと握り締めた。聴覚が戻り、視野が広くなって、あたりの混沌を見てとることができた。親と子供の悲鳴が、耳鳴りよりもひときわ高く響いていた。

ニックスとあとの三人の戦士が、カリフォルニア・アヴェニューから左に曲がろうとしたときに、コーチが警告したのは、このことだったのだ。コーチは歓迎の笑みを浮かべていたが、両手をふって横のほうを示していた。ニックスはその合図に気づかなかった自分を罵った。まわりで子供たちがふざけていて、一瞬、何事もないふつうの世界にいるような気がしてしまったのだ。

「触接《コンタクト》!」チャーリーが叫んだ。

「ちょっと遅いんじゃない」ニックスはいった。「撃たれた?」

「いや、だいじょうぶだと思う」チャーリーがいった。「まだいるにちがいない。どこだ?」

中国の海兵隊員がひとり、体育館の角をまわって跳び出した。アサルト・ライフルで広い範囲を乱射した。一発がチャーリーの首に当たった。早くも拳銃を構えていたニックスが、距離三メートルから反射的に四五口径弾二発を発射した。海兵隊員がもんどりうって、校庭の青いカバの彫刻の上に倒れた。

くだんの海兵隊員の死体のほうから、恐怖におののいている中国語の叫びが聞こえた。ニックスと戦士ふたりが建物の角をまわると、中国人の女がひとりいた。反乱勢力と一般市民を離間させるために送り込まれた、新設のコミュニティ開発部隊の民間人にちがいない。その女が、無線に向かってわめいていた。拳銃を持っていたが、使う気配はなかった。護衛ふたりはすでに死んだ。

ニックスたちは、チャーリーの死体のそばを通って女をひきずり、建物の入口へ行って、ドアを楯にした。まもなく女がわめくのをやめ、近接戦闘の直後の不気味な静けさがニックスを包み込んだ。耳鳴りがして、両手がピリピリと痛み、足が地面にしっかりと植わっていて、命にかかわるときでも一歩も動けないような感じだった。アドレナリンが引くと、いつもどおりその感覚は去ったが、つかのま、神経を集中して、つぎになにが起きるかを考えるには、力をふり絞らなければならなかった。

「この女、無線連絡してた」ニックスは、仲間に向かって叫んだ。耳鳴りのせいで、声が大きすぎた。「連絡できたのかどうかはわからない。でも、ここがばれたから引き払わなきゃならないのを、コナンに報せないと」

見あげると、青く塗られた二階のバルコニーの手摺から、子供たちが見おろしていた。死体とＮＳＭ《ノースショア・ムジャヒディン》の三人を、無表情で見ている。すると、ひとりずつ空を見あげ、やがて全員が南の空に目を凝らした。

そのときニックスの耳が治って、聞こえるようになった。ヘリコプターのローターの連打音が近づいてくる。

ハワイ特別統治区　ワヒアワ　ヒドゥン・ヴァレー住宅団地

コナンとフィンは、学校のとなりにあるモルモン教会のがらんとした駐車場を抜けた。教会と近くの住宅のあいだにある木立にはいったところで、自転車から跳びおりた。濃い緑の葉叢が長い樹冠をこしらえている下を通って、ヒドゥン・ヴァレー住宅団地の平屋や二階建ての家が群がるあいだを駆け抜けた。学校寄りの道路にクワッドコプター一機が降下するのが見えたので、身をかがめ、木立に隠れた。

「ここで待機する」コナンはいった。

「冗談じゃない。行く」フィンがいった。「隠し場所へ行って、武器を取ってきて、やつらを排除すればいい」

コナンは首をふった。「だめ。それは無理」

近所の住民が家から道路に出はじめて、指差し、叫んでいた。生徒の親とおぼしい数人が、中国軍部隊の先を越そうとして、学校のほうへ走っていった。

フィンが、合点のいかない顔で、コナンのほうを見た。「少佐、おれたちの仲間はいいとしても、子供たちはそうはいかない。子供たちがいるんですよ」

「だからこそよ」コナンは、静かにいった。

「なんだって？　どうなると思ってるんですか？」フィンがいった。

コナンは答えず、じっと見つめ返した。フィンが立ちあがろうとしたが、コナンは押さえつけた。フィンがその手をふりはらったとき、中国軍のＺ‐８Ｋ強襲ヘリコプターが轟然と頭上を過ぎて、向きを変え、校舎脇の校庭すれすれまで降下した。黒ずくめの中国軍コマンドウがつぎつぎと跳びおりた。降着地点の四方に散開した。コナンたちが武器を隠している体育用具の倉庫は、彼らの周辺防御に囲まれていた。

フィンが身を引いて藪蔭に戻り、腹立たしげにコナンの顔を見た。「少佐、ニックスたちのことは知ってるでしょう――戦うに決まってる。子供たちや教師は、クソの嵐のなかで身動きできなくなりますよ」

「学校でまずい事態になったときには、そういうリスクがつねにあるのよ」コナンはささやいた。「どうしてあたしが学校を選んだと思うの？」

「愛してる」

サンフランシスコ　フォート・メイソン

玄関をはいってゆくときに、リンゼイがなんというか、シモンズにはわかっていた。その言葉が素直に出てこないようなときでも、毎晩リンゼイは〝愛してる〟という。

こんなふうに夜晩《おそ》く家に帰るとき、シモンズは精も根も尽きていた。アドレナリンは何カ月も前に使い果たした。いまのシモンズの原動力は、カフェインと興奮剤と怒りの混合物だった。

モーターボートがみごとな接岸で桟橋のへりにそっと当たり、闇に包まれた二号桟橋まで送ってくれた造船所のモーターボートに、シモンズはさっと敬礼した。海に長くいられるように、時間のかかるバスを使わずにすむのは、艦長の特権だった。それに、フォート・メイソンの家まで歩く距離も短く、上陸してから帰るまでの時間を、何分か節約できる。

だが、毎晩のように、シモンズはまずベンチにしばらく腰かける。そのベンチは、ここがお祭りや観光客向けの場所だった名残りだった。そこから西のゴールデン・ゲート・ブリッジを眺める。今夜は照明がともされ、ケーブルに編み込まれたLEDがまたたく国旗をこしらえて、五十の星が明るく輝いていた。国防総省の通達に反して、カリフォルニア州知事が敢然と実施したのだ。この橋は自分たちが戦っている目的を象徴しているし、戦争と湾の霧で見えなくなるようにしてはいけない、と知事は論じた。その演説はたいへん好評だった。その知事の広報チームが、ソーシャル・エンジニアリングのアルゴリズムで編み出した方策だったにちがいない。

シモンズは、コーヒーの最後のひと口を飲むと、残ったかすを捨てて、足もとの地面に散らばるのを眺めた。妙に心が癒されるので、十六時間の仕事のあと頭を休めるための儀式になっている。

「動くな！」闇から声が聞こえた。

シモンズは顔をあげたが、だれの姿も見えなかった。疲れてはいるが、空耳になるほど疲れているのか？

「身分証明書」警戒員がいった。二十四時間態勢で沿岸部をパトロールしているカリフォルニア州兵だった。

「どうぞ」シモンズはいった。「ジェイムズ・シモンズ大佐、海軍。フォート・メイソンに住んでいる。四十九号だ」

警戒員が、シモンズの左エポレットのバーコードをスキャンした。

「ありがとうございます」警戒員がいった。「静かな夜ですね」

「問題はないか？」シモンズはきいた。

「ありません。一度もないですよ」警戒員が、急に年老いた疲れた声になった。「このにおいは？」M4カービンを胸に引きつけて、深く息を吸った。「ああ、ほんもののコーヒーですね？」

「ああ、艦から持ってきた」シモンズはいった。

「わたしもそちらに志願すればよかった。もとは〈スターバックス〉のバリスタだったもので、コーヒーが品薄になったからといって、代用コーヒーは飲めませんよ。矜持《きょうじ》っていうものがありますからね」と、警戒員がいった。「志願したときはそうでした。でも、基礎訓練の何週間か、ひどい頭痛に悩まされましてね。いれたてのコナ・コーヒーが敵陣にあるって確約されたら、上陸作戦に参加しますよ」

「ハワイのコーヒーも、もうじき飲めるようになるさ」シモンズはいった。

「ありがとうございます。おやすみなさい」警戒員がいった。

「ああ、おやすみ」シモンズはそういって、家に向けて坂を登っていった。

玄関ドアをそっとあけて、静かにはいった。午後十一時。子供たちとは会えないし、食事の時間も過ぎているが、リンゼイと一時間ぐらいいっしょにいられる。床板が鳴って、シモンズの帰宅を報せた。

ダイニングにはだれもいなかった。リンゼイがソファで本を読みながら眠り込んだのかもしれないと思い、リビングを覗いた。

「おい。リンゼイ、まだ起きているのか？」シモンズはささやいた。

リビングの床を見まわした。おもちゃはどこへ行った？　奇妙なことに、足もとになにも転がっていなかった。自分が子供たちとおなじ年頃のとき、父親に猛烈な後片付けをやらされたのを思い出した。散らかったおもちゃどころか、子供が自分の家にいるという気配があるだけで、父親は逆上した。

「リンゼイ」シモンズはもう一度呼んだ。

おそるおそる、二階へあがっていった。かすかな輝きが、ベッドルームから発していた。

ベッドルームにはいると、胸が高鳴り、胃が痛くなった。赤いシルクのローブだけをまとったリンゼイが、目の前に立ち、スパークリング・ワインのグラスを差し出していた。非常用品のロウソクが、部屋を照らしていた。ビーチ用のピンクのバケツに氷を入れ、シャンパンの瓶の首が、気をつけの姿勢で立っていた。

「結婚記念日おめでとう」リンゼイがいった。

シモンズは、フルート・グラスを受け取り、リンゼイにキスをした。どうして忘れていたのだろう？

「十五年か」シモンズはいった。

「あなたを見つけ、失い、また戻ってきてもらった」リンゼイがいった。

「おめでとう」シモンズはいった。「晩くなって悪かった」

「子供たちは寝たし、水入らずよ。すこしのあいだだけ」

「あしたは早起きしないと」

「わかってる」リンゼイがいった。「疲れるわよ」

「すごくね」ローブを脱がせながら、シモンズはいった。相手を思いやることに集中して、辛抱強くよろこびを味わいながら、ふたりはセックスをした。

　そのあとで、ふたりは横になって、闇のなかでゴールデン・ゲート・ブリッジを眺めた。霧が橋桁を呑み込みはじめていた。

「もうじき、あなたはあそこを出ていくのね」リンゼイがいった。

「わかっている。こういうことの前に約束したのもわかってる。でも、いまは行かなければならない。わかってくれるね？」

「行かないでとはいわない」リンゼイはいった。「でも、満足できるほどいっしょにいられなかった、ということばかりを考えるの。十五年では短すぎる」

「ああ、そうだね」シモンズはいった。「毎日なにをやっても、帰ってくるためにそれをやるつもりだ。それしかない。単純なことだ」

「わかってる」リンゼイはいった。

「おやじは、おふくろと十五年いっしょにいたあとで、出ていった。知っていた？」シモンズはいった。

「だから今夜、忘れていたの？」

　二者択一の問題ではなかった。さまざまな方角に進める。怒り。否定。服従。後悔。

「ほんとうに悪かった、リンゼイ」シモンズはいった。「今夜のこと。すべて。辞めるといったのに海軍に残ったこと。すまない。それしかいえない」

「でも、二度と忘れないで」リンゼイはそういって、強くキスをした。

カリフォルニア州 マウンテン・ヴュー モフェット・フィールド 第一格納庫

ダニエル・アボイがいつも不愉快に思うのは、そのにおいだった。格納庫は正確には奥行き三四七メートル、幅九四メートルで、スーパードーム三面分の広さがある。だが、それだけの空間でも、においが充満していた。この谷の外から来る者にとっては、食べ残しのピザとシャワーを何日も浴びていない人間の体臭が入り混じった、鼻につんとくる悪臭だった。だが、地元の人間にとっては、それが金のにおいだった。名声。権力。成功。この数十年のあいだに、シリコン・ヴァレーのスタートアップ企業の現状は、がらりと変わったが、変わらないものがひとつだけある。このにおいだ。

そして、いまそのにおいが第一格納庫に充満していることは、状況にいっそう似つかわしかった。

一九三一年、カリフォルニア州サニーヴェイルの町の長老たちは、経済発展のために奇抜な計画をひねり出した。四十八万ドルの資金をつのり、千エーカー近い農地を買って、その土地をアメリカ政府に一ドルで売却したのだ。その農地の地理的状況によって、うまみのある投資になるはずだった。サンフランシスコ湾周辺で、頻繁に霧に覆われることがないのは、その地域だけだったのだ。そのため、サニーヴェイルは海軍の〝空飛ぶ航空母艦〟という新計画の拠点になるはずだった。ヘリウムを充塡《じゅうてん》した巨大な飛行船には、複葉機が搭載されていた。その飛行船部隊の基地に使われる予定だった。

計画は期待どおりには進まず、サニーヴェイルも飛行船もあてがはずれた。一九三三年に海軍の試験空中母艦〈アクロン〉が墜落した。計画は棚上げになり、飛行場が〈アクロン〉とともに殉職した海軍高空局局長ウィリアム・モフェット海軍少将にちなんで命名されたことだけが、遺産として残った。だが、サニーヴェイルの町にとって幸運なことに、それからしばらくして勃発した第二次世界大戦が、復活のきっかけになった。モフェット・フィールドは、哨戒機の基地になり、やがて米空軍衛星試験センターに変わった。一九五〇年代には、大手航空宇宙産業が基地と試験センターのまわりに集まった。科学者やエンジニアが数千人、晴れの日の多い谷間に越してきて、地元の各大学との結びつきを強め、かつての農地はまったく異なる産業の中心地になった。飛行船基地として経済成長を目論んだ町の長老たちの計画は、期せずしてシリコン・ヴァレーとして発展を遂げるようになる。

一九九〇年代の国防費削減のとき、モフェット・フィールドはほとんど放置され、施設はNASAのエイムズ研究センターに引き渡された。世界最大の格納庫として知られるその建物を除けば、軍隊が駐屯していたことを示すものは、ほとんど残らなかった。

その後の歳月、基地のあちこちが民間企業に切り売りされた。まず格納庫をグーグルが買い、社有機の格納庫に改造した。はじめてシリコン・ヴァレーに来て、金の流れはもとより、ありとあらゆる野望や展望を目の当たりにしたとき、アボイは圧倒された。いまは電話一本かけるだけで、巨大な格納庫を好きなように使える。グーグルの共同創業者ラリーとセルゲイは、格納庫内でなにが行なわれるのかをきこうとしなかった。ふたりが知っているのは、詮索好きな人間の目が届かない、広大なスペースが必要だということだけだ。

第一格納庫はいま、アボイの方舟と呼ばれ、チームのあらたな住処《すみか》になっていた。Uniのタジ・ラモットCTO（最高技術責任者）が思いついた綽名で、だだっ広い空間と、ここの一切合財を買った人間の途方もない発想の両方にかけたジョークだった。アボイはUniの草創期の投資家だが、Uniはいまではパロアルトの主要ビデオゲーム制作会社になっている。アボイは、ほかの数社からも、ひそかに引き抜いていた。他の会社には投資していなかったが、アボイの評判だけで事足りた。あとは単純に誘いをかけるだけだった。シリコン・ヴァレーはじまって以来の重要なスタートアップ企業に参加する絶好の機会ですよと、アボイは誘いをかけた。

そうやって人選するときの基準は、いたって明快だった。アボイが話を持ちかけた会社のCTOが、最高のプログラムを三人指名する。人数を絞ったのは、投資家がいう隠密《ステルス》モードをプロジェクトで維持するためだとした。自分たちのビジネスを中国のスパイばかりではなく、NSAからも護るのが、ほんとうの目的だった。たとえNSAのネットワークが中国にPWN《プウン》されていないとしても――いまだにPWNされていると、たいがいの人間が疑っていたが――かつてスノーデンが暴露したNSAによる悪質な不法行為に対する怒りは根強い。NSAのせいでシリコン・ヴァレーは数千億ドルもの損失をこうむり、そこの住民は、歳月が流れても恨みを忘れていなかった。

だが、人数を限っているのは、計画の価値観を重視しているからでもあった。成果と変容をもたらす力の両方が重要なのだ。アボイとその集団は、問題を解決するのにプログラマー数十万人を投入することはできない。中国はそういうやりかたをした。戦前に人海戦術で検索検閲を行なっていた組織を、奇襲前に大規模ハッカー攻撃集団に変えたのだ。アボイたちは、それをやるつもりはなかった。きわめて優秀なプログラマーひとりは、まあまあのプログラマーひとりとは文字どおり桁ちがいだというのを、アボイたちは知っていた。それに、経験から、不可能と思えることを成し遂げる最善の方法は、単純に適材をまとめることだとわかっていた。

CTOのなかには、経営幹部をよこすものもいた。億万長者になった創業者たちも何人かいて、ふたたび現場の仕事ができるのを楽しんでいた。あとはたいがい、人間嫌いのコード書きの鬼をよこし、そういう連中はたいがいが地下にこもっていた。だが、それらの合計によって、第一格納庫は、マンハッタン計画このかた最高の天才の集まりになっていた。

ほかに各社が貢献を求められたのは、ビジネスジェット機一機だった。それが隠れ蓑の重要な一部だった。志願者たちは、よそへ出張するふりをして、第一格納庫にやってくる。そして、ビジネスジェット機は、あちこちのビジネス会議や会社の社外会議の会場へ飛んでゆく。だが、つねに乗客のうちの数人が欠けている。じつに完璧な偽装だったのだが、やがてピザという問題が持ちあがった。アボイはそれを、通りの向かいのオフィス群にべつのスタートアップ企業を立ちあげることで解決した。ヘルスケア産業向けのアプリ制作会社という触れ込みだったが、じつはピザの配達先の役割を果たすだけの存在だった。

これまでは、すべて順調だった。テストを待つあいだに、アボイは手首の内側をつねった。子供のころ、空腹がひどくてものが二重に見えたときからの癖だった。食べるものの心配をせずにすむようになってから、もう何年たっただろう？　三十年？　四十年？　なじんでいるその痛みが、いまも、不安を和らげてくれた。

その瞬間、心配事は山ほどあった。管制室の南西の壁にならぶモニターが、七色の光をひらめかせ、明滅させている。その一色一色が、失敗をほのめかしていた。

「さあはじまるぞ」まんなかで輪になっているエンジニアたちに、アボイはいった。一同は、シンコペーションされたリズムで手袋をはめた手を動かし、集まりのまんなかで動いている光に目を凝らした。中国のデータ・ネットワークを、彼らは図書館として描いていた。ホログラムの三層の建物があり、白く塗られたアトリウムから琥珀色の夕陽が射しこみ、中央のホールを照らしている。ホログラムのアトリウム中央に、アボイのチーム六人の化身がいた。いずれもぼんやりした黒い形で、濁った煙でできているように見える。生霊のような体には、だれだか見分けられるような特徴はなかった。

アボイは、タジが自分の化身を操るのを見ていた。キャスター付きの回転椅子に不安定に立ち、手袋の下の指を指揮者よろしく動かしている。倒れる危険も失敗のおそれも、これまでよりもずっと高くなっているのに、悪態をつくほうが集中できるようだった。数十億ドルの資産を持つようになっても、タジは九年前にアボイが面接したときと、まったく変わっていない。あまりにも才能があるので、正直いって雇いたくないと、アボイはそのときにタジにいった。それからずっとふたりは友人だった。じつはこれをやってもらうために、ずっといっしょに仕事をしてきたのかもしれないと、アボイはふと思った。

「跳ぶ瞬間よ」わりあい落ち着いた物腰なので、一同がプログラムのチーフ・エンジニアに選んだアーラン・スミスがいった。格納庫に来る前は、アマゾンでネットワーク・デザインを手がけていた。長身で痩せていて、ＳＩＭをやっているときでも、そうではないときでも、精確に小刻みな動きをする。他のエンジニアやプログラマーとおなじように、宇宙飛行士が着るような、体にぴったり合ったグレーの作業用つなぎを着ていた。それはテスラ・チームの発案だった。アボイは最初のうちは、格好を気にするなんてふざけていると思ったが、そのうちに、着ると姿勢がよくなるのがわかった。

「ウィク、あなたが最初よ」スミスの声は、興奮でうわずっていた。スミスやあとの連中がよろこんでいるわけを、アボイは知っていた。束縛されていない自分たちの頭脳がなにを達成できるかを再発見し、スタートアップの楽しさをあらためて味わえるからだ。

ホログラムの映像のなかで、黒い影のひとつが図書館のアトリウムから駆け出して、書架の暗がりにはいっていった。つぎの影がつづいた。

「タジ、つぎよ」スミスがいった。

タジの椅子のキャスターがきしみはじめ、指のコントロール・リングを操作するときに、タジが体をすこし前後にねじった。タジがゴーグルで見ているものは、ほかの人間には見えないが、ぎくしゃくした仕草は問題が起きている証拠だった。

ホログラムの映像では、黒い影がアトリウムを走って出入りし、本を投げ落としていた。部屋のまんなかに積みあげられた本が、火葬の薪みたいに燃えていた。

「ビチグソ！」いまも心はうぶな少年のタジが叫んだ。「こんちくしょう、ビチグソ・ネットワーク！」

図書館のガラス天井が砕け、水が流れ込んできた。疑似体験のネットワークの自動化された防御が、反応していた。まず土砂降りの雨が来て、対抗プログラムを視覚化した生霊たちが炎を浴びせようとした。だが、つぎは川の流れを変えたような、尽きることのない大洪水が襲ってきて、アトリウムにあふれた。

椅子がひっくりかえり、タジは姿勢を立て直そうとしたが、激しく尻餅をついた。タジは手首を押さえて転がった。

ホログラムの図書館の火は消され、黒い影は水に沈んでいた。一階から上の階にどんどん水があがり、影がひとつずつ消えていった。スミスがホログラムを消して、面目なさそうにアボイの顔を見た。自動化された防御に探知され、打ち負かされたのだ。周囲にある照明の漏斗状の光芒がすこし明るくなり、テストが終わったことを告げた。

アボイはタジに手を貸そうとしたが、やめた。タジは痛みから教訓を学んで、もうちょっとおとなになったほうがいいかもしれない。アボイは一団に背を向けて、格納庫の闇を通り、つぶやくような音をたて、暖気の波を浴びせる何列ものサーバーのあいだを歩いていった。出口までいった。スミスが命令を下しているのが、かすかに聞こえたが、耳鳴りのせいで、なにをいっているかはわからなかった。

表に出たとたんに、アボイは座り込んで、目を閉じ、両腕で頭を覆った。溜息をついた。ほかにどうすればいい？　うまくいくはずのものが、うまくいっていないのだ。

肩に手が置かれた。さっと身を起こすと、手首に白い保冷剤をくっつけたタジが目にはいった。

「だいじょうぶだろうか？」アボイはきいた。

「おれの手首？　それともプロジェクト？」タジがいった。「心配してくれてありがとうよ」

「すまない。あんな態度はいけなかった」アボイはいった。「自分で自分をどうにもできないことがあるんだ。なにせ、計画どおりにいかなかったから」

「なあ、ごまかしてもしかたがない。おれたちはピンチに追い込まれた、時間も金もない」タジがいった。

「持っている金は最後の一ドルまで注ぎ込むつもりだ」アボイはいった。「無一文ではじめたんだから、金がなくなるのは怖くない。失敗が恐ろしい。失敗したら、この国がどうなるのかが。ぼくたちの責任は重大だから、なんとか成功させなければならない。ぜったいに。でも、賭けられてるものは、もっと大きいんだ。それがなんだか、わかるか？」

「三日間、全力で働いていたんだぜ。謎かけはやめろよ」と、タジがいった。

「ぼくたちはアメリカという国を立て直し、困難な難問を解き、イノベーションの美徳とリスクの見返りがわかっている国に戻さなければならない」アボイはいった。「ぼくたちが成功しなかったら、なにもかもが失われるんじゃないかと心配なんだ」

「ダニエル、世界の重みをおれたちの肩に載せるのは、やめてくれ。そんな考えかたじゃ、うまくいかないぜ。おれたちはそのために集まったんだけど、やりがいのある難題だから集まったんだ。それを解くのがおもしろいんじゃないか」

アボイには、いうべき言葉が見つからなかった。そこでタジから顔をそむけて、星空を見あげながら、滑走路をのろのろと歩いていった。

アスファルト舗装のひと気のない滑走路を歩くうちに、うしろの巨大な格納庫が小さくなり、雲がしだいに頭上の星を隠していった。雨を含んだ一陣の風が、細かい霧雨を顔に浴びせると、アボイは滑走路のまんなかで立ちどまった。ほんとうに道に迷っていた。そう思うときにやる、たったひとつのことを、アボイはやった。ひざまずき、祈りはじめた。

メア・アイランド海軍造船所　ミサイル駆逐艦〈ズムウォルト〉

「勝利のにおいってやつだ!」だれかがいった。笑い声があとを追いかけた。

ヴァーン・リーは、寝棚のカーテンに拳大の隙間をこしらえて覗いた。素肌がちらりと見えた。グレーの下着。携帯口糧《レーション》のゲップの悪臭が寝棚に漂ってきたので、ヴァーンは鼻に皺を寄せた。自分のカヴァーオールのにおいと混じっている。汗と、何時間か前に構造強化のために使っていたエポキシ樹脂のかすのにおい。笑みを浮かべ、笑い声を押し殺した。なにもかもが不快だし、それを我慢しなければならないのが不快だった。もう三日もシャワーを浴びていない。

目を閉じて、隅に体をくっつけようとした。だが、笑ったつもりなのが、あっというまに一転して涙になり、VIZグラスに流れ落ちた。

笑いと涙が混じるのは、疲れて気が変になっているせいだとわかっていたので、自分が浅はかに思えた。戦争前には、これまでにない電力供給を構築できると自信を持っていた。エネルギーや、バッテリーの魔法が、人間の幸せの中心をなしている。それが機械に命をあたえ、人間に生きる力をあたえる。高校でマリファナを吸っていたころは、とにかくそう思っていた。いまの自分は機械そのものだ。艦内のいろいろな装置と変わりがない。エネルギーが枯渇し、からっぽになっている。

ヴァーンは涙を拭って、VIZグラスをかけ、時間を見た。午前四時四十三分。カーテンを脇に押しのけ、視界の隅で一四・三という黄色い数字が明滅し、平均的な作業能力を取り戻すには、それだけのREM睡眠が必要であることを示しているのを、無視することにした。厨房へ行くあいだにコードを検討し、その虹色の光で目が赤いのをごまかせることを願った。なんとかしてまた一日をやり過ごすことになるだろう。

廊下に出ると――通路と呼ぶのだと、乗組員に何度も正された――ヴァーンは厨房に向かう列についていった。

「おはよう、ドクター・リー」うしろから声をかけられた。

陶器の馬鹿でかいコーヒー・カップを左手にさげて、マイクが通路のまんなかに立っていた。いつもどおり海軍の濃紺のオーバーオールに、オレンジ色の多用途ベストを重ねている。その色の組み合わせのせいで、シリアの軍事介入による捕虜みたいに見えた。それでも、この年配の男に独特の魅力があることはたしかだと、ヴァーンは思った。《ピープル》誌は映画スターを、表紙に最初に載せてから数十年後に、今年の男優として再掲載する。そんな老映画スターみたいに、じょうずに齢を重ねている。

「レイルガンの弾薬庫にいっしょに来てもらえないか？　おれが手がけているところを、見てもらいたいんだ」と、マイクがいった。

まだはっきりと目が醒めていなかったヴァーンは、呆然とマイクの顔を見た。

「食事をするのなら、どうぞ。仕事はしばらく中断するから」マイクがいった。

「あなたは腹がへっては戦にならないかもしれないけど、おじいちゃん、現代の女性は、意志の力がちょっぴりと、薬の力がいっぱいあればいいの」ヴァーンは厨房にはいって、コーク・プライムの真っ赤な缶と、長さ二・五センチの栄養剤パックを取った。

ヴァーンの胃はぐるぐる鳴っていたが、弱みを見せたくなかった。こっそりとほほえんだ。どこでもおなじだ。高校のバレーボール・チームにいても、大学院でも、戦争でも、苦労している姿を見られてはならない。

「わかった。それじゃ」すこし尊敬する口調で、マイクがいった。「闘士の朝食というわけだね、ドクター・リー」

だが、マイクのあとから通路を進むとき、ヴァーンは冷たい缶を額に当て、薬が効くまで頭痛を押し戻そうとした。

海軍では水密戸と呼ばれているハッチの前で、マイクは脇にどき、ヴァーンを先に通した。老人か機関のグリースのにおいを嗅ぐことになるだろうとヴァーンは思ったが、柑橘系の香りがした。

「壊血病になってもらいたくないからね。おれの時代には、そんな心配があったんだ」剝きたてのオレンジを差し出して、マイクがいった。

ヴァーンは、にっこり笑ってオレンジを受け取った。

レイルガンの弾薬庫は、砲塔の下にあって、艦内の奥へとのびている。ヴァーンはそこで、ひっくりかえした木箱に腰かけた。マイクが溶接するのを見ながら、酸っぱさを味わって、ゆっくりとオレンジを食べた。そこは狭く、手をのばせばマイクの体に届きそうだった。ゴーグルごしに眺めていると、溶接トーチの炎を向こうから浴びている年配の上等兵曹《チーフ》の横顔が、日食みたいに見えた。汗が何条も首を流れている。やがて、トーチが急に切られた。マイクが溶接用マスクをあげ、煙に目をしばたたいて、レイルガンの給弾機を支える架台がヴァーンに見えるように、場所をあけた。

「どういうふうにやったか、見えるだろう、ドクター・リー?」マイクがいった。

なにをいいたいのかがわからず、ヴァーンは最後のオレンジをゆっくりと食べた。

「溶接面だよ。そこがどんなふうかを見てもらいたいんだ」マイクはいった。「上の砲塔では、あんたの指図どおりにできるが、あんたは現場の技術を知らない。手練の技を……電線や結合部の表面を溶かし、表面だけくっついていれば、研究室での使用には耐えるだろうが、戦闘中にわれわれが受けるような圧力には耐えられない。なめらかにやって、適切な素材を組み合わせることが、肝心なんだ。見せてやろう。マスクをかけて、そのゴーグルを貸してくれ」

マイクは、自分が膝を突いていた青いフォームラバーの四角いクッションにヴァーンを呼び寄せ、溶接用手袋を渡した。

「この手袋は合うはずだ。適当に見つくろったが、サイズは合っていると思うよ。で、われわれがやっているのは、構造強化なんだ。だれの目にも映らないが、みんながそれに頼っている。最初の一本はいっしょにやって、どういうぐあいかたしかめよう」

ヴァーンが膝を突くと、マイクはうしろの木箱に腰かけて、左側から腕をのばして、炎を噴き出しているトーチを持つ手を安定させた。一往復すると、マイクはヴァーンにひとりでやらせた。

「そう、そういうぐあいだ。溶かして、それが盛りあがるように進める」マイクはヴァーンの手を導き、給弾機の架台が甲板と接しているところに、ゆっくりと継ぎ目をこしらえていった。「何度か往復してから、冷めるのを待つ。それからまたやる。高い技術は、練習で身につけるものだ」

「どうしてレーザー溶接機を使わないの?」ヴァーンはきいた。

「なにも複雑なものを使う必要はないからだ」マイクはいった。「古いＭＩＧ《ミグ》溶接機で間に合うんだから、換えることはないだろう？　古いので仕事をやれるのに、熟練者に新しい技術を教える手間をかけることはない。あんたにも、いずれそういうことがわかるだろう」

上海　旧フランス租界　蓮花クラブ

名前はきかないほうがいいとわかっていたので、当面、新二十三番と呼ぶことにした。セチンがドアをあけると、その女がベッドで待っていた。目を瞠《みは》り、まばたきもせず、薬をやっているときに特有の集中した目で、セチンの姿を追っていた。あいかわらず美しいが、すこしきつい感じになり、誘うふうがなくなっているように見えた。プロフェッショナルらしい生きかたのマイナス面だ。またしても目的がよろこびを押さえ込んでいる、とセチンは思った。

旧二十三番では、すべてについてセチンの望みが肝心だった。新二十三番では、すべてについて彼女の望みが肝心だ。まずチェレンコフ・プログラムの詳細、そしてこんどは北太平洋の中国防衛態勢についての情報。

服を脱いでたたむと、セチンはシーツの下に潜った。今回のシーツはオレンジ色だった。

女の温かい裸身といっしょにシーツにくるまるのが楽しいことは、否定できない。その瞬間をセチンは味わった。女がすばやくシーツをふたりの上にかけ、肌と肌がはじめて触れ合う一瞬を。

女が唇に指を当てたので、セチンはうなずいた。女が仰向けになって、目を閉じた。安定した呼吸につれて胸が上下するのを、セチンは見ていた。ウェストのタトゥーをよく眺めた。バラの花束とヘビの複雑な模様だった。コブラとサンゴヘビは見分けがついた。あとは知らないヘビが二匹描かれていた。バラは美しかった。

そのとき、セチンと旧二十三番のセックスの録音を女が再生しはじめ、ふたりの会話を遮断する薄いブランケットを用意した。気恥ずかしさにセチンは顔を赤らめた。

「あんたたちがほしいものが、すべてあると思う」セチンはいった。「だが、入手したのを気づかれていないとは保証できない。できるだけ努力したが、なにしろこれはみんな非常の――」

「ばれたっていうこと？」女が片肘をついて、語気鋭くきいた。セチンの胸を一本指でなで、へその下の新しい傷跡のところで指をとめた。幅二・五センチで、切開部を密封するのに使った透明な手術用接着剤に覆われている。上海の唐家湾路《タンジーワンルー》露天市場のウナギの屋台裏にCIAの投函所《デッド・ドロップ》があり、そこに用意されていた手術ペンを使って、セチンがみずから切開した。

「そのとおり」芝居がかった溜息をついて、セチンがいい、煙草とウォッカのすえたにおいが、ブランケットの下にひろがった。新二十三番が、不愉快そうに鼻に皺を寄せた。

「冗談をいっている場合じゃないのよ」女がいった。「はっきりいって、ばれたの？」

「わたしはだいじょうぶだ」セチンはいった。「いまもいったように、すばやくやらなければならなかった。だが、用心した。抜かりはない」

「それじゃ、やりましょう」女がいった。「もっとリラックスして」

「よろこんで」セチンはいった。「上になりたいのかな？」

女が首をふり、セチンの下で体を横にずらした。手で切開部をさぐった。セチンが痛みにたじろぐと、女はあやまった。

「いいわ。チップがあるのはわかった」女がいった。「もうすこし左に寄って、あなたのほうから向かって左。そこよ」

タトゥーのインクのなかに隠された表皮電子リーダーがかすかに震動し、ちくちくする感覚とともに、セチンのファイルをダウンロードした。セチンがキスをしようとすると、女が身を引いた。

「だめ！」叱りつけた。「じっとして、動かないで」

震動は一分近くつづき、その感覚が不意に消えると、ふたりは見つめ合った。

「そんなに悪くなかったね」セチンはいった。「戦争を終わらせるのにじゅうぶんかな？

これより小さなことでも、戦争は起きてきたからね」

「もう行くわ」セチンの下から転がり出て、女がいった。「ぐずぐずしてはいられない」

「いや、ゆっくりしたほうがいい」セチンはいった。「それに、わたしがあまり早く帰ったら、店ではきみがこの仕事に向いていないと思うんじゃないか」

あきらめの顔で、女がセチンの横にくっついた。「抱いてもいいわ」このときばかりは、女の命令は仕事一点張りではなかった。セチンが女の肩をつかむと、つかのまふるえるのがわかった。

「怖がるほうが、男心をそそるものだよ」セチンはやさしくいった。

絆ができはじめたと、セチンが自分にいい聞かせはじめたとき、録音が終わり、女がシーツをはねのけた。

「時間よ」といって、女が背を向け、服を着はじめた。

「やれやれ」セチンはいった。

サンフランシスコ湾　アルカトラス島の西　ミサイル駆逐艦〈ズムウォルト〉

「いいか、橋にぶつけるんじゃないぞ」〈ズムウォルト〉がエンジェル島を右舷に見て通過するとき、ホレイショ・コルテス少佐がいった。

コーヒーを二杯飲む前、〈ズムウォルト〉は、大規模改造後に、はじめてメア・アイランドの桟橋を離れた。はらはらするひとときだった。なんなく繋留索をさばく訓導乗組員がいなかったら、まだ港を出ていないだろうと、シモンズは思った。艦のシステムを修復した若者たちは、軍艦の動かしかたについてはなにも知らない。〈ズムウォルト〉はメア・アイランドの造船所から用心深く出て、アルカトラス島を目指し、eBａyパーク埠頭沖の指定された場所へ移動した。

その待望の視察は、サンフランシスコ・ジャイアンツ対ワシントン・ナショナルズの試合と重なるように手配されていた。衛星で監視している中国は、アメリカが艦艇の装備を改良していることを知っている。ただ、細かいことまでは知らない。そこで、士気を高めるために軍関係者に無料入場券が配られる、野球のナイトゲームの日に、公試運転を行なうことにした。マリリン・クレイバーン国防長官が、始球式のためにわざわざやってくる。

だが、ピッチャーズ・マウンドを初体験したあと、国防長官はたいがいの来賓とはちがって、オーナーのボックス席には行かない。つぎに寄るのは〈ズムウォルト〉のブリッジだった。eBａyパークでのナイトゲームを隠れ蓑に利用し、〈ズムウォルト〉の新電源システムの試運転を行なうことになっていた。

ザ・ミステリ・コレクション

中国軍《ちゅうごくぐん》を駆逐《くちく》せよ！ ゴースト・フリート出撃《しゅつげき》す〈上〉

著者　P・W・シンガー＆オーガスト・コール

訳者　伏見威蕃《ふしみいわん》

発行所　株式会社 二見書房
東京都千代田区三崎町2-18-11
電話 03(3515)2311［営業］
03(3515)2313［編集］
振替 00170-4-2639

印刷　株式会社 堀内印刷所
製本　株式会社 関川製本所

落丁・乱丁本はお取り替えいたします。
定価は、カバーに表示してあります。

ISBN978-4-576-16037-5
http://www.futami.co.jp/

中国軍を阻止せよ！（上・下）
ラリー・ボンド／ジム・デフェリス
伏見威蕃［訳］

中国が東シナ海制圧に動いた！日本は関係諸国と中国の作戦を阻止するため「沿岸同盟」を設立するが……アジアの危機」をリアルに描いた、近未来戦争小説の傑作！

レッド・ドラゴン侵攻！（上・下）
ラリー・ボンド／ジム・デフェリス
伏見威蕃［訳］

肥沃な土地と豊かな石油資源を求めて中国政府のベトナム侵攻が始まった！元海軍将校が贈るもっとも起こりうる近未来の恐怖のシナリオ、中国のアジア制圧第一弾！

レッド・ドラゴン侵攻！ 第2部 南シナ海封鎖（上・下）
ラリー・ボンド／ジム・デフェリス
伏見威蕃［訳］

中国軍奇襲部隊に追われる米ジャーナリスト・マッカーサー。中国軍の猛攻に炎上する首都ハノイからの決死の脱出行！元米海軍将校が描く衝撃の近未来軍事小説第二弾！

レッド・ドラゴン侵攻！ 第3部 米中開戦前夜
ラリー・ボンド／ジム・デフェリス
伏見威蕃［訳］

国連でのベトナム侵攻の告発を中国は否定。しかしベトナム西部では中国軍大機甲部隊が猛烈な暴風下に驀進していた…米国人民軍顧問率いるベトナム軍との嵐の中での死闘！

レッド・ドラゴン侵攻！ 完結編 血まみれの戦場
ラリー・ボンド／ジム・デフェリス
伏見威蕃［訳］

ベトナム軍が中国軍機甲部隊と血みどろの闘いを繰り広げる一方、米駆逐艦「マッキャンベル」は南シナ海で中国艦と対峙していた。壮大なスケールで描く衝撃のシリーズ、完結巻！

絶滅（上・下）
J・T・ブラナン
棚橋志行［訳］

頻発する異常現象数々――これは世界の破滅の始まりなのか？人類は終焉をむかえるのか？ベストセラー『神の起源』の著者が放つ新時代のアクション・スリラー！

米本土占領さる！
ジョン・ミリアス＆レイモンド・ベンソン
夏来健次［訳］

2020年代、東南アジアをはじめ日韓を併合した北朝鮮は遂にアメリカ本土侵攻へ。苛烈な占領政策に全米各地でレジスタンスが！ベストセラー・ゲームの小説化

炎の翼（上・下）
デイル・ブラウン
伏見威蕃［訳］

アラブ統一国家の野望を抱くリビアの独裁者が、エジプト大統領を暗殺し、油田の略奪を狙う。それを阻止せんと元米空軍准将率いるハイテク装備の部隊が飛び立った！

ロシア軍侵攻（上・下）
デイル・ブラウン
伏見威蕃［訳］

越境したタリバン一派が米国の石油採掘施設やパイプラインを占拠！世界最大量の石油が眠る中央アジアの砂漠で米ロが軍事衝突か？軍事ハイテク小説の最高作！

台湾侵攻（上・下）
デイル・ブラウン
伏見威蕃［訳］

台湾が独立を宣言した！激昂する中国は核兵器の使用も辞さない作戦に出る。猛攻に曝される台湾を救うべく米軍はステルス爆撃機で反撃するが…ハード軍事アクション！

北朝鮮最終決戦（上・下）
ハンフリー・ホークスリー
棚橋志行［訳］

横田基地に北朝鮮のミサイルが来襲した！彼らの狙いとは、アメリカは報復に出るのか？悪夢の暴走を止められるのか!?壮大なスケールで迫る政治サスペンス！

シベリアの孤狼
L・ラムーア
中野圭二［訳］

秘密収容所から脱走した米空軍少佐マカトジ。酷寒のシベリアで武器も食糧もなく、背後には敵が迫る。彼が頼れるものは自らの野性の血とサバイバル・テクニックだけだった！

二見文庫　ザ・ミステリ・コレクション

過去からの弔鐘

ローレンス・ブロック

田口俊樹［訳］【マット・スカダー・シリーズ】

スカダーへの依頼は、ヴィレッジのアパートで殺された娘の過去を探ること。犯人は逮捕後、独房で自殺していた。調査を進めていくうちに意外な真相が…

冬を怖れた女

ローレンス・ブロック

田口俊樹［訳］【マット・スカダー・シリーズ】

警察内部の腐敗を暴露し同僚たちの憎悪の的となった刑事は、娼婦からも告訴される。身の潔白を主張し調査を依頼するが、娼婦は殺害され刑事に嫌疑が…

一ドル銀貨の遺言

ローレンス・ブロック

田口俊樹［訳］【マット・スカダー・シリーズ】

タレ込み屋が殺された！残された手紙には、彼がゆすった三人のうちの誰かに命を狙われていると書かれていた。自らも恐喝者を装い犯人に近づくが…

慈悲深い死

ローレンス・ブロック

田口俊樹［訳］【マット・スカダー・シリーズ】

酒を断ったスカダーは、安ホテルとアル中自主治療の集会とを往復する日々。そんななか、女優志願の娘がニューヨークで失踪し、調査を依頼されるが…

倒錯の舞踏

ローレンス・ブロック

田口俊樹［訳］【マット・スカダー・シリーズ】

レンタルビデオに猟奇殺人の一部始終が収録されていた！スカダーはビデオに映る犯人らしき男を偶然目撃するが…。MWA最優秀長篇賞に輝く傑作！

獣たちの墓

ローレンス・ブロック

田口俊樹［訳］【マット・スカダー・シリーズ】

妻を誘拐され、無惨に殺された麻薬ディーラー・キーナン。復讐を誓うキーナンの依頼を受けたスカダーは、常軌を逸した残虐な犯人を追う！映画『誘拐の掟』原作

二見文庫　ザ・ミステリ・コレクション

死者との誓い
ローレンス・ブロック
田口俊樹［訳］【マット・スカダー シリーズ】

弁護士ホルツマンがマンハッタンの路上で殺害された。その直後ホームレスの男が逮捕され、事件は解決したかに見えたが意外な真相が…PWA最優秀長編賞受賞作！

死者の長い列
ローレンス・ブロック
田口俊樹［訳］【マット・スカダー シリーズ】

年に一度、秘密の会を催す男たち。メンバーの半数が謎の死をとげていた。不審を抱いた会員の依頼を受け、スカダーは意外な事実に直面していく。（解説・法月綸太郎）

処刑宣告
ローレンス・ブロック
田口俊樹［訳］【マット・スカダー シリーズ】

法では裁けぬ『悪人』たちを処刑する、と新聞に犯行を予告する姿なき殺人鬼。次の犠牲者は誰だ？ NYを震撼させる連続予告殺人の謎にマット・スカダーが挑む！

皆殺し
ローレンス・ブロック
田口俊樹［訳］【マット・スカダー シリーズ】

友人ミックの手下が殺され、犯人探しを請け負ったスカダー。ところが抗争に巻き込まれた周囲の人間も次々に殺され、スカダーとミックはしだいに追いつめられて…

死への祈り
ローレンス・ブロック
田口俊樹［訳］【マット・スカダー シリーズ】

NYに住む弁護士夫妻が惨殺された数日後、犯人たちも他殺体で発見された。被害者の姪に気がかりな話を聞いたスカダーは、事件の背後に潜む闇に足を踏み入れていく…

すべては死にゆく【単行本】
ローレンス・ブロック
田口俊樹［訳］【マット・スカダー シリーズ】

4年前、凄惨な連続殺人を起こした〝あの男〟が戻ってきた。完璧な犯行計画を打ち崩したスカダーに復讐の鉄槌をくだすべく…『死への祈り』から連なる、おそるべき完結篇

償いの報酬

ローレンス・ブロック

田口俊樹［訳］

【マット・スカダー シリーズ】

ＡＡの集会で幼なじみのジャックに会ったスカダー。犯罪常習者のジャックは過去の罪を償う〝埋め合わせ〟を実践しているというが、その矢先、何者かに射殺されてしまう！

殺し屋

ローレンス・ブロック

田口俊樹［訳］

【殺し屋ケラー シリーズ】

他人の人生に幕を下ろすため、孤独な男ケラーは今日も旅立つ……。ＭＷＡ賞受賞作をはじめ、孤独な殺し屋の冒険の数々を絶妙の筆致で描く連作短篇集！

殺しのパレード

ローレンス・ブロック

田口俊樹［訳］

【殺し屋ケラー シリーズ】

依頼された標的を始末するため、殺し屋ケラーは新たな旅へ。殺しの計画のずれに揺れる孤独な仕事人の微妙な心理を描く、巨匠ブロックの筆が冴える連作短篇集

殺し屋　最後の仕事

ローレンス・ブロック

田口俊樹［訳］

【殺し屋ケラー シリーズ】

引退を考えていたケラーに殺しの依頼が。最後の仕事にしようと引き受けるが、それは彼を陥れるための罠だった…ケラーの必死の逃亡が始まる！（解説・伊坂幸太郎）

殺し屋ケラーの帰郷

ローレンス・ブロック

田口俊樹［訳］

【殺し屋ケラー シリーズ】

殺し屋稼業から引退し、結婚し子供にも恵まれ、幸せな日々をニューオリンズで過ごしていたケラーのもとに新たな殺しの依頼が舞い込む…。（解説・杉江松恋）

マンハッタン物語

ローレンス・ブロック［編著］

田口俊樹／高山真由美［訳］

巨大な街、マンハッタンを舞台に、日常からわずかにはずれた人間模様の織りなす光と闇を、Ｊ・ディーヴァーはじめ十五人の作家がそれぞれのスタイルで描く短篇集